DEUS E O DINHEIRO

40 VERDADES BÍBLICAS SOBRE FINANÇAS

Talita Kume Assessoria Editorial
47 99145.3663

COORDENAÇÃO EDITORIAL | Silvana Barrozo

PREPARAÇÃO DE ORIGINAIS | Nathan Batista

REVISÃO | Vanderléia Skorek

DIAGRAMAÇÃO | Silvana Barrozo

PROJETO GRÁFICO | Jan Design

Título: Deus e o dinheiro

Subtítulo: 40 verdades bíblicas sobre finanças

Formato: Papel

Veiculação: Físico

ISBN: 978-65-87670-20-1

Dados Internacionais de Catalogação na Publicação (CIP)
(Câmara Brasileira do Livro, SP, Brasil)

Grubert, Irineo
Deus e o dinheiro : 40 verdades bíblicas sobre finanças / Irineo Grubert. -- Itajaí, SC : Talita Kume, 2021.
ISBN 978-65-87670-20-1
1. Dinheiro - Ensino bíblico 2. Finanças - Aspectos religiosos - Cristianismo I. Título.

21-81939 CDD-248.4

Índices para catálogo sistemático:
1. Finanças : Conceitos bíblicos : Vida cristã 248.4
Eliete Marques da Silva - Bibliotecária - CRB-8/9380

IRINEO GRUBERT

DEUS E O DINHEIRO

40 VERDADES BÍBLICAS SOBRE FINANÇAS

SUMÁRIO

SESSÃO 3 – SABEDORIA E RIQUEZAS

SESSÃO 4 - PRATICANDO A MULTIPLICAÇÃO

INTRODUÇÃO

Deus e o Dinheiro. Essas duas palavras em uma mesma frase podem parecer estranho para muitos, até mesmo escândalo para alguns. Quantos de nós fomos criados em uma cultura religiosa onde falar sobre dinheiro era no mínimo constrangedor, ou até mesmo condenatório. Por outro lado temos ambientes que falam tanto sobre isso, e de forma tão aleatória que confunde ainda mais a cabeça das pessoas. O paradoxo disso é que dinheiro é um assunto tão espiritual quanto qualquer outro e não sou eu quem diz, mas a própria Bíblia. Dinheiro, riquezas, prosperidade, são assuntos comuns nas Escrituras e não só comuns como constantes. O próprio Jesus, lembre-se, o Deus encarnado, o Filho unigênito do Pai, falou cerca de 80 vezes sobre esses temas. É evidente que o Dinheiro é um assunto extremamente espiritual e por isso precisamos falar sobre. A relação de Deus e o dinheiro leva-nos a perguntas cruciais: O que Deus pensa sobre o dinheiro, sobre prosperidade, sobre riquezas? Deus quer que tenhamos riquezas? Como adquirir riquezas segundo a vontade de Deus? Qual deve ser a postura do nosso coração, como filhos de Deus, em relação ao dinheiro? Somos chamados ou não para sermos prósperos? Qual a influência das posses que temos em nosso dia a dia? Espero responder a essas perguntas com você em uma jornada de 40 dias, onde me proponho a trazer 40 verdades Bíblicas sobre finanças. Uma por dia. Agora talvez você leitor, esteja se perguntando qual é o propósito desse livro? E quero apontar pelo menos três objetivos que tenho ao apresentar essa obra a você. Primeiro, desejo trilhar com você um caminho de sabedoria em relação a finanças. Muita coisa é dita sobre o tema de forma equivocada e precisamos nos voltar para as Escrituras em busca de coerência sobre o assunto. O segundo motivo é mostrar princípios que podem te ajudar a realmente ser próspero segundo a vontade de Deus. Uma coisa já vou me permitir te adiantar, Deus não quer miséria para você. Ele não deseja miséria para nenhum dos seus filhos. O que você precisa é saber como prosperar dentro dos princípios e do desenho de Deus. E o terceiro motivo é o desejo de compartilhar com você algumas experiências de minha vida em relação a finanças que me transformaram completamente. Eu posso dizer com todas as letras que me tornei próspero em Deus por entender as verdades bíblicas que compartilho aqui nesse livro. Quem dera que há muitos anos atrás, quando eu comecei minha jornada cristã, eu tivesse um livro como esse em minhas mãos para me ensinar de forma devocional, clara e prática as verdades que me levam a prosperidade bíblica. Mas você tem esse livro agora em suas mãos. Eu recomendo que você leia um capítulo por dia, meditando, relendo, fazendo as suas anotações e tomando decisões de acordo com aquilo que você aprendeu. Não tenha pressa, uma verdade bem aprendida por dia vale mais do que trinta que não desceram ao coração e a mente. Aproveite essa oportunidade para mergulhar no rio de bênçãos que Deus tem para a sua vida. Comece essa leitura crendo de todo o coração, que as verdades aprendidas em 40 dias podem mudar os seus próximos 40 anos. Essa é a minha oração e a minha benção em relação a sua vida.

01

A MAIOR E MELHOR OFERTA

O que nos faz vencer é nossa mentalidade maior do que a mentalidade dos gigantes que aparecem em nossas vidas.

Vamos ler, juntos, 1 Crônicas 29:17-18 que diz:

Sei, ó meu Deus, que sondas o coração e que te agradas com a integridade. Tudo o que dei foi espontaneamente e com integridade de coração. E agora vi com alegria com quanta disposição o teu povo, que aqui está, tem contribuído. Ó Senhor, Deus de nossos antepassados Abraão, Isaque e Israel, conserva para sempre este desejo no coração de teu povo, e mantém o coração deles leal a ti.

1 Crônicas 29:17,18

Um pouco antes, no mesmo capítulo, nos versículos de 1 Crônicas 3, 4 e 5, Davi fala do quanto ele ofertou ao Senhor para o trabalho do templo:

Além disso, pelo meu amor ao templo do meu Deus, agora entrego das minhas próprias riquezas, ouro e prata para o templo do meu Deus, além de tudo o que já tenho dado para este santo templo. Ofereço, pois, cento e cinco toneladas de ouro puro de Ofir e duzentos e quarenta e cinco toneladas de prata refinada, para o revestimento das paredes do templo, para o trabalho em ouro e em prata, e para todo o trabalho dos artesãos. Agora, quem hoje está disposto a ofertar dádivas ao Senhor?

Davi tirou do melhor de todas as suas riquezas. Se calcularmos, hoje, o valor da oferta de Davi, em moedas atuais, ultrapassa 1 trilhão de reais. Isso nos leva a pensar se alguém, na história, em algum dia, se igualou a uma oferta como essa na obra de Deus. É realmente incrível!

Se conhecermos a história de Davi, veremos que ele era um empregado de seu pai, que cuidava de um pequeno grupo de ovelhas no deserto. Analisemos juntos, como Deus pôde transformar um pequeno pastor de ovelhas em um dos homens mais poderosos e mais ricos da terra?

Quando pensamos sobre isso, percebemos o que Deus pode fazer em nossa história, nos tirando de um lugar de insignificância para um lugar de relevância no mundo em que vivemos.

SE DEUS PÔDE TRANSFORMAR UM PASTOR DE OVELHAS EM UM REI, UM PEQUENO ASSALARIADO NUM DOS HOMENS MAIS RICOS DA TERRA E QUE, EM UMA EXPRESSÃO DE AMOR A DEUS, DEU UMA DAS MAIORES OFERTAS BÍBLICAS, ELE PODE FAZER ISSO COM QUALQUER UM DE NÓS.

Para isso, precisamos entender os processos que Davi viveu para chegar a esse lugar.

1. DAVI FOI CHEIO DO ESPÍRITO SANTO

Em primeiro lugar, Davi foi cheio do Espírito Santo. Se nós queremos crescer e sermos pessoas que prosperam, não podemos esquecer esse ponto.

Samuel então apanhou o chifre cheio de óleo e o ungiu na presença de seus irmãos, e a partir daquele dia o Espírito do Senhor apoderou-se de Davi. E Samuel voltou para Ramá.

1 Samuel 16:13

Não tem como prosperarmos na vida sem antes sermos cheios do Espírito Santo. Sem ter uma vida abundante do conhecimento de Deus e do seu Espírito. Não há como encher algo que não está aberto e disposto a ser enchido. Davi precisava estar disposto a isso. A primeira coisa que levou Davi a ser um homem próspero é sua rendição para ser cheio do Espírito Santo. Não tem como o Senhor dirigir e governar sobre a nossa vida enquanto estivermos vazios do dEle, alienados e destituídos da presença do Seu espírito em nós. O espírito do Senhor apoderou-se, assenhorou-se de Davi e não tem como sermos relevantes para o Senhor nessa terra se isso também não acontecer conosco.

2. DAVI TEVE UMA MUDANÇA DE MENTALIDADE

No episódio contra o gigante filisteu, Davi diz a ele:

Hoje mesmo o Senhor o entregará nas minhas mãos, e eu o matarei e cortarei a sua cabeça. Hoje mesmo darei os cadáveres do exército filisteu às aves do céu e aos animais selvagens, e toda a terra saberá que há Deus em Israel.

1 Samuel 17:46

Como acordamos todos os dias? Davi tinha uma mentalidade maior que a dos seus inimigos. Quando cuidava de ovelhas, em um momento em que um leão veio para atacá-las, o feriu até matá-lo, para proteger suas ovelhas. O mesmo aconteceu em outra situação, com um urso. Ele fez isso porque tinha uma mentalidade de vencedor. Na passagem em que Davi chegou diante do gigante Golias, fica claro que sua mentalidade é mais poderosa que a do gigante.

O QUE NOS FAZ VENCER É NOSSA MENTALIDADE MAIOR DO QUE A MENTALIDADE DOS GIGANTES QUE APARECEM EM NOSSAS VIDAS.

De que forma acordamos, sabendo que existem promessas de Deus? Amedrontados diante das notícias e tragédias que passam na televisão ou com a convicção do que Deus prometeu-nos? O "deus" deste século tenta, a todo momento, amedrontar você. Todos os soldados, inclusive o rei Saul, tremeram diante do gigante. Mas, com Davi foi diferente, pois sua mentalidade era maior. Para cada palavra negativa que recebemos, cada notícia ruim, que possa causar medo e pânico, devemos responder com a convicção das promessas de Deus para poder quebrar as fortalezas que se levantam contra nós.

Muitas pessoas que sabem que têm promessa de Deus acordam acreditando que as dificuldades do dia a dia serão intransponíveis. E isso não pode acontecer.

Qual compreensão temos acerca da nossa própria mente? Quem somos? Somos o que a Palavra diz que devemos ser ou somos a média das pessoas e notícias ao nosso redor? Essa característica foi muito evidente na vida de Davi, ele sabia exatamente quem era e, por isso, tinha uma mentalidade maior que a dos seus inimigos.

3. DAVI APRENDEU A SER HABILIDOSO

Davi aprendeu a ser treinado em tudo o que fazia.

Tudo que Saul lhe ordenava fazer, Davi fazia com tanta habilidade que Saul lhe deu um posto elevado no exército. Isto agradou a todo o povo, bem como aos conselheiros de Saul.

1 Samuel 18:5

Se fosse em nossos dias, diríamos que Davi era um homem que se esmerava. Um homem "para frente". Alguém que aceitava treinamento, correção e, desse modo, se destacava. Tudo na vida é um treinamento e nós, assim como Davi, precisamos estar sensíveis e dispostos ao treinamento de Deus. Pessoas que não são treinadas para desenvolverem habilidades naquilo que fazem, não terão sucesso. É importante que sejamos treinados e habilitados para tudo aquilo que Deus manda-nos fazer, seja como empregados ou como patrões. É extremamente ruim quando uma pessoa faz algo sem a habilidade correta e necessária.

Quando olhamos um exemplo como Usain Bolt, que é o maior recordista de corrida em 100 e 200 metros rasos, com certeza, imaginamos que ele treinou milhares e milhares de vezes para poder correr alguns segundos e ser o melhor de todos os tempos naquilo que faz. Paulo fala que devemos, como um atleta, treinar muito e desenvolver nossa vida para podermos chegar ao prêmio. Infelizmente, muitos cristãos levam a vida de qualquer jeito, seja no seu trabalho ou na sua vida financeira, e isso nunca trará crescimento. Para prosperarmos, precisamos ser treinados e adquirir habilidades específicas dentro daquilo que fazemos. Em Deuteronômio (8:18), a Bíblia diz que Deus nos da a capacidade para produzirmos riquezas.

Mas, lembrem-se do Senhor, do seu Deus, pois é ele que lhes dá a capacidade de produzir riqueza, confirmando a aliança que jurou aos seus antepassados, conforme hoje se vê.

Deuteronômio 8:18

4. DAVI NÃO PAGAVA O MAL COM O MAL

"Você é mais justo do que eu", disse ele a Davi. "Você me tratou bem, mas eu o tratei mal. "

1 Samuel 24:17

Saul, em determinado momento, diz isso a Davi. Uma das características de pessoas que prosperam em todos os sentidos é que elas não pagam o mal com o mal. Saul estava numa caverna, dormindo, e Davi teve a oportunidade de matá-lo, porém, ele não fez isso. Davi tinha uma aliança com Saul, não amaldiçoava a própria aliança. Às vezes, vemos casais competindo entre si, crentes falando mal, criticando outros crentes, esse tipo de atitude é desastroso. Precisamos aprender com Davi a não pagar o mal com o mal. Ele já vivia o que Jesus veio ensinar muito tempo depois, pagar o mal com o bem. Davi tinha correto, no seu coração, o entendimento da aliança e, dessa maneira, não podia ferir a Saul. A Bíblia nos ensina que até para nossos inimigos devemos dar amor.

Davi tinha integridade em seu coração. Muitas pessoas vivem em crises de integridade. Num mundo que está convergindo para a ganância, vaidade, as pessoas têm perdido a integridade. Usam o amor pelas coisas e perdem o seu valor. Para Deus, sempre as pessoas são mais importantes que as coisas. Davi está dizendo que Deus ama a integridade de coração. Pessoas que não são íntegras não vão bem no trabalho, não crescem, são preguiçosas, se corrompem em relação às finanças, até possuem um discurso bonito, contudo, sua vida não condiz com a sua prática.

A MAIOR E MELHOR OFERTA

Agora, pensemos: Qual é a maior e melhor oferta? Será que foi as 105 toneladas de ouro e mais toneladas de prata e outras pedras preciosas? Não, essa não é a maior oferta. Porque a maior oferta nunca será do homem. Jesus, um dia, contou a história da viúva que deu a menor oferta no que tange a valores, no entanto, a maior, se tratando de coração.

A maior e melhor oferta sempre vem do Senhor nosso Deus:

Ó Senhor, nosso Deus, toda essa riqueza que ofertamos para construir um templo em honra do teu santo nome vem das tuas mãos, e toda ela pertence a ti.

1 Crônicas 29:16

Davi está dizendo que tudo o que ele tem não vem dele próprio, vem do Senhor. Essa é a grande revelação sobre o entendimento de prosperar. Que toda riqueza que conquistamos não é com a força de nosso braço, e sim por causa do Senhor. É Ele que pode nos fazer prosperar. A melhor oferta sempre é de Deus.

Deus deu o seu filho, Ele sempre tem o melhor para saciar nossa fome espiritual, fome física, e tudo o que precisarmos. Nunca venceremos Deus no quesito oferta, porque tudo o que ofertamos e semeamos, de algum modo, já veio de Deus. Entendamos essas características que estiveram sobre Davi, que fizeram dele um dos homens mais poderosos da terra e, também, devem estar em nós.

02

DEUS, O ÚNICO QUE FAZ SENTIDO PARA A VIDA

O maior propósito do coração humano é conhecer ao seu criador e desfrutá-lo para sempre.

Quem ama o dinheiro jamais terá o suficiente; quem ama as riquezas jamais ficará satisfeito com os seus rendimentos. Isso também não faz sentido.

Eclesiastes 5:10

Eclesiastes, capítulo 5, fala sobre o que faz sentido na vida. Entendemos que Salomão é o escritor do livro de Eclesiastes e ele vai dizer, no final do livro, qual realmente é o sentido da vida. Diversas pessoas buscam o sentido da vida em algo que elas acreditam ser o final. Precisamos entender que muitas coisas nas nossas vidas são um meio, e não um fim, não a razão maior. Aqui, o texto está falando sobre riqueza. É muito importante compreendermos sobre riqueza e tratar o nosso coração. O texto não está dizendo que você não deve ganhar dinheiro, gerar riquezas e construir riquezas, todavia, que esse não é o sentido da vida, ou seja, essa não é a direção da sua vida.

O que dá sentido à vida? O amor ao dinheiro? Quantas pessoas conhecemos que trabalharam com somente esse objetivo na vida – ganhar dinheiro? O que dá sentido à vida? Viver na extrema pobreza? Muitas religiões, no mundo, falam sobre o desapego, justamente porque muitas pessoas construíram muitas riquezas e, ao final da sua vida, se decepcionaram, e estes acham que se viverem em profunda pobreza, terão sentido na vida. Há pessoas que não têm nada, e estão extremamente decepcionas com o sentido da vida, como há pessoas que possuem tudo e colocam a sua confiança nas riquezas e acham que o sentido da vida está aí.

A verdade é que o único sentido da vida é o Senhor e nada, nunca, conseguirá preencher esse vazio do nosso coração. O maior propósito do coração humano é conhecer ao seu criador e desfrutá-lo para sempre. Quando colocamos qualquer outra coisa e, principalmente, as riquezas nesse lugar, poderemos terminar a nossa vida extremamente frustrados, dado que o dinheiro não cumprirá as promessas de eternidade que achamos que ele nos faz. Somente Deus pode trazer sentido de existência para o ser humano. Qualquer tentativa de colocarmos outra coisa nesse lugar nos frustrará. Sendo assim, podemos ser extremamente pobre e encontrar o sentido da vida em Deus, o que, geralmente, não vai deixar-nos permanecer pobre, assim como podemos ser extremamente rico e encontrar o sentido da vida em Deus, então, encontrarmos propósitos para as nossas riquezas e não vivermos nossa vida confiando nelas. Elas vão ocupar o lugar correto em nosso coração.

03

O SUPRIMENTO DIVINO

Decorar os versículos de prosperidade não faz ninguém próspero, e sim entender o desenho todo de Deus sobre prosperidade.

O meu Deus suprirá todas as necessidades de vocês, de acordo com as suas gloriosas riquezas em Cristo Jesus.

Filipenses 4:19

Que maravilha seria se, ao acordar, todas as manhãs, pudéssemos ter a certeza e a convicção de que o Senhor suprirá todas as nossas necessidades. Quer sejam emocionais, financeiras ou de qualquer natureza. Imaginem, acordarmos com um monte de dívidas e, de repente, saber que Deus iria prover tudo o que precisamos para pagar. Esse texto fala sobre isso. No momento em que Paulo escreve esse texto está na cidade de Tessalônica, evangelizando e implantando uma igreja.

Bem sabemos que toda a região da Asia Menor ouviu o evangelho através do ministério de Paulo. E a igreja dos Filipos, para quem Paulo estava escrevendo, era uma igreja que também tinha sido fundada por ele e que, reconhecendo seu ministério e seu trabalho no Senhor, enviaram uma oferta a Paulo. A Igreja de Filipos entendeu a necessidade de promover o evangelho através da vida e ministério dele. Paulo diz que, exatamente pela preocupação que eles tinham com o avanço do evangelho, pelos investimentos que estavam fazendo, por isso, para isso e por meio disso, existia uma promessa de Deus a eles. E essa promessa é a promessa de que o Deus de Paulo, que também era o Deus deles, supriria todas as necessidades. Quando começamos a entender esses suprimentos de Deus?

Primeiro, precisamos entender que é muito melhor dar do que receber. É exatamente o que Paulo está ensinando. Quando invertemos a posição de receptores e tornamo-nos doadores.

Não que eu esteja procurando ofertas, mas o que pode ser creditado na conta de vocês.

Filipenses 4:17

Paulo está dizendo que ele não anda a procura de ofertas, e aquela Igreja que estava entendendo sobre isso, ela é que seria abençoada por participar da expansão do evangelho através da vida de Paulo. A Igreja que estava fazendo aquela oferta seria muito mais abençoada do que ele que estava recebendo. Precisamos buscar inverter essa posição em nossas vidas, de receptor para bom doador. Sempre estivemos mais propícios a ganhar. Em nosso país, por exemplo, a necessidade de muitas famílias está evidente e, à vista disso, muitos só pensam em ganhar. Em nossos país, várias pessoas estão mais propícias a ganhar justamente porque precisam diante de tanta necessidade. Com a pandemia da COVID, 19,30% do país ficou com sérios problemas financeiros, necessitando de auxílio emergencial do governo para terem suas necessidades básicas supridas. Carecemos, no Senhor, quebrar esse ciclo. Precisamos nos tornar doadores, afinal, muito mais bem-aventurado é aquele que dá do que aquele que recebe.

Lembro quando ganhamos um terreno de oferta para uma instituição, a pessoa que doou o terreno não era cristã. Estávamos agradecendo por aquela oferta, pois ela supriria uma grande necessidade e, enquanto falávamos, o doador nos interrompeu, dizendo que não precisávamos agradecer, porque ao dar aquela oferta ele sabia que, primeiramente, ele estava sendo abençoado. Quanto mais ele dava, mais próspero ele se tornava. No caminho de volta para casa fiquei pensando como seria se todos os cristãos pensassem da mesma fora, entendessem o que esse homem entendeu. Claro, que é muito bom receber, mas muito mais bem-aventurado, próspero e feliz é aquele que tem prazer em dar.

Quando doamos, quebramos um ciclo de não estar sempre na dependência de receber e tornamo-nos mais felizes em dar. Temos de ter, no coração, sempre a alegria de poder dar, muito mais do que temos alegria em receber. Devemos ir além de simplesmente decorar versículos e saber que é mais aventurado dar do que receber, precisamos encarnar essa verdade. Decorarmos o texto das caixinhas de promessa não é o suficiente. Muitas pessoas que possuem caixinhas de promessas em casa com as palavras que enchem o ego não estão prósperas e abençoadas.

DECORAR OS VERSÍCULOS DE PROSPERIDADE NÃO FAZ NINGUÉM PRÓSPERO, E SIM ENTENDER O DESENHO TODO DE DEUS SOBRE PROSPERIDADE.

A prática do princípio da doação é o que realmente traz a prosperidade, e não simplesmente saber disso. Para aquela igreja de Filipos, especificamente que Paulo está escrevendo, ele diz que Deus suprirá todas as coisas, e por quê? Porque eles têm escolhido praticar os princípios corretos. Há muitas pessoas que sabem o versículo, entretanto, não praticam o princípio. Quando formos à Bíblia, não devemos ler somente um versículo isolado, há que se ler o texto todo, completo. As promessas de Deus começam a se cumprir em nossas vidas se vamos além daqueles versículos e conseguimos cumprir o princípio de nossas vidas.

O nosso evangelho não pode ser unicamente escutado, porque só ouvir o evangelho é tolice. Jesus fala isso em

Lucas 6. O tolo é aquele que ouve e não pratica, logo, constrói sua vida sobre a areia. Quando vem a tempestade, tudo acaba destruído. O sábio, aquele que ouve e pratica, entende o desenho todo de Deus, este constrói sua vida sobre a rocha, e a rocha é uma figura de Jesus. Dessa forma, mesmo quando as tempestades vêm, nada pode os abalar. As tempestades vêm para todos, bons, maus, crentes e não crentes, a diferença é quem ficará em pé. Somos vencedores não por não termos tempestades, mas porque nossa vida está construída sobre a rocha – que é Jesus.

Precisamos nos perguntar se estamos construindo a nossa fé só de ouvir, ou se estamos construindo com base na prática do Reino de Deus. Ao praticarmos os princípios da Palavra de Deus, abrimos um caminho de milagres em nossos corações. Quando ouvimos um princípio e sabemos, contudo, não praticamos, é a mesma coisa que jogarmos na loteria. Imaginemos uma pessoa que joga na loteria e, no dia do sorteio, fica com aquela esperança de que vai ganhar, com pensamento positivo, dizendo que tem fé em Deus para ganhar. Isso é ilusão total. A fé em Deus não é uma loteria que funciona ao acaso, que dá certo para uns e para outros não. Quando começamos a praticar todo o desenho de Deus nas nossas vidas firmadas sobre a rocha, sobre os princípios de Deus, abrimos espaço e estamos prontos para o agir e mover de Deus num ambiente de milagres, sendo assim, Deus vai além da razão. Na loteria, tentamos jogar por razão, porém, na bênção de Deus, vamos muito além.

Eu lembro de ter começado a estudar sobre finanças a partir da Bíblia desde cedo, no ministério. Lembro de um dia entrar em uma igreja e ver o pastor falando que as pessoas que estariam ali seriam muito abençoadas por Deus e faria muitos, ali, prósperos. Fiquei empolgado, estava com serias dificuldades financeiras e, talvez, estar naquele culto seria a minha vitória. Depois, o pastor disse que, naquele dia, eles levantariam uma poderosa oferta. Eu tinha um pouco de dinheiro no meu bolso, era um valor para sobreviver uma semana, comendo e colocando gasolina no carro para trabalhar. Pensei que aquilo era tudo o que eu tinha, como eu iria ofertar? Nesse instante, o Senhor corrigiu-me, dizendo que tudo o que eu tinha naquele dia era Ele mesmo, o próprio Deus. O dinheiro era apenas um meio, uma forma, e eu estava confiando naquele pouco dinheiro que estava no meu bolso e não no Senhor. Decidi praticar a palavra do Senhor, mover-me de forma diferente e desapeguei daquele valor. Ofertei. Naquela mesma noite, recebi um telefonema de um homem muito rico, havia vendido uma fazenda, e queria dizimar o valor em nosso ministério. Essa foi uma experiência incrível, não pelo valor, contudo, pelo resultado de pôr em prática os princípios de Deus.

Quando colocamos em prática os princípios, as bênçãos se voltam para nós. A igreja de Filipos se envolveu com o evangelho, com a proclamação do evangelho e, por isso, a promessa de Deus de que tudo lhe seria suprido foi liberada. Quando nos envolvemos com isso também somos plenamente abençoados. Os filipenses não tinham necessidade de fazer aquilo, no entanto, como eles escolheram praticar os princípios de Deus, no caso, doar pela proclamação do evangelho, então eles também se tornariam participantes da promessa divina. Quem se torna praticante do princípio, se torna participante da promessa.

Deus pode levar as pessoas a um novo nível de riqueza e prosperidade quando estas entendem que devem ter tanta alegria em dar quanto tem em receber. Nem todos serão pastores, apóstolos, missionários, muitos viverão dentro de uma vocação que lhes trará muito recurso e, com esse recurso, participarão do avanço do evangelho. Isso não é pecado, pelo contrário, é propósito de Deus. Da mesma forma que um pastor, líder espiritual precisa se preparar, estudar a Palavra de Deus para abençoar as pessoas, alguém que é ou será um empresário precisa buscar aprender como controlar as riquezas. Um pastor é feliz quando consegue ensinar e pastorear as pessoas com graça e poder de Deus, um empresário deve ser feliz quando consegue gerenciar e administrar bem suas riquezas e usar do seu recurso para a proclamação do evangelho. Com essa mentalidade, Deus entrará com a parte dele, a parte dos milagres sobrenaturais, haja vista que ele verá homens e mulheres praticando os princípios corretos e participando da sua incrível obra no mundo.

04

JESUS OU DINHEIRO? QUEM É O NOSSO SENHOR?

Muitas pessoas são escravas do dinheiro, porque gastam até o que não têm, para parecer o que não são.

"Ninguém pode servir a dois senhores; pois odiará a um e amará o outro, ou se dedicará a um e desprezará o outro. Vocês não podem servir a Deus e ao Dinheiro".

Mateus 6:24

Vamos lidar com esses dois senhores. Não tem como não lidarmos. A grande questão é: quem é o senhor sobre nós? Está cada um no seu lugar, no lugar que deve estar? O interessante é que o próprio Jesus, sendo 100% homem e 100% Deus, considerou que o único ídolo capaz de ser um rival, um concorrente em mesmo nível, alguém que luta pela nossa devoção, é o dinheiro. Mediante essa constatação, é importante aprendermos o lugar do dinheiro nas nossas vidas. Quais níveis Jesus e o dinheiro devem ocupar nas nossas vidas? Se Jesus mesmo apontou o dinheiro como perigoso, é perigoso mesmo, e precisa ficar claro o seu lugar. Há muitas coisas nas nossas vidas, gatilhos que se manifestam dependendo do nosso nível de amor por um ou pelo outro. Têm muitos crentes que ficam com raiva quando se fala de dinheiro, eles são tão envolvidos na devoção a Mamom que não conseguem nem ouvir sobre o que a Bíblia ensina e fala acerca do dinheiro. Muitas pessoas têm isso como um ninho no coração e não querem mexer, sabem que acabarão lidando com a idolatria do seu coração.

Jesus está dizendo que o dinheiro pode ter um domínio de mentalidade sobre nós. Um domínio de emoções. Domínio que pode governar as nossas ações, pode governar o nosso agir. O dinheiro tem o poder de despertar a devoção das pessoas, assim como Deus tem. Olhemos para Judas, o coração dele foi tão tomado pelo amor ao dinheiro que ele começou a criticar os atos dAquele que era o Deus encarnado. A devoção de Judas não era mais de Jesus. A paixão e a devoção dele eram ao dinheiro. O amor e o serviço ao dinheiro são capazes de nos tornar súditos. E a Bíblia diz que é impossível permanecer tendo devoção verdadeira aos dois.

Eu queria fazer algumas perguntas para pensarmos: Como entendemos Deus e o nosso senhorio? Qual a relação que temos com Deus?

Tendo os olhos fitos em jesus, autor e consumador da nossa fé.

Hebreus 12:2

Jesus é o princípio e o fim. A nossa caminhada começa em Jesus e vai terminar em Jesus. Tudo o que Deus nos der ou colocar em nossas vidas deve ser um meio e nunca, jamais, um fim. É vital entendermos qual a nossa relação com os meios que Deus deu-nos. Como estamos lidando com o dinheiro, com o nosso chamado, com nossos dons, com a família? Há pessoas que têm cada uma dessas coisas como um fim. Mas o nosso fim é Deus e todas essas dádivas são meios. São meios para completar a nossa caminhada. Nossa vida não termina no dinheiro, na família, nos dons, termina em Deus.

Precisamos, primeiro, entender a nossa relação com o Deus criador. Um Deus que criou todas as coisas. Sem embargo, o homem se afastou de Deus e, em razão disso, também é um Deus redentor. Jesus nos redimiu da perdição eterna, do pecado original que carregávamos, transmitido por Adão e Eva. Ele também é um Deus direcionador, pois nos conduz, direciona em todos os caminhos. Ele nos guia pelas veredas da justiça por amor ao nome dEle. É Deus absoluto. Se entendemos que Ele é o meu Deus criador, redentor, direcionador, nossa devoção deve ser não somente mais para Deus, mas unicamente para Ele.

E como reconhecemos o senhorio de Jesus na prática?

Primeiro, rendendo-nos a esse senhorio. É uma questão de rendição. Não devemos nos render a nada a não ser Jesus. Ele deve ser o Senhor sobre nossa vida e sobre tudo o que temos. Segundo, precisamos nos sujeitar ao seu senhorio. Uma vez rendidos, devemos nos sujeitar em obediência à sua vontade. Devemos estar inteiramente sujeitos a Jesus, sem nenhuma palavra de contrariedade, sem nenhuma vontade contrária à vontade do nosso Senhor. Não devemos ter nenhum ato de rebeldia em relação a ele.

E, terceiro, devemos obedecer às suas ordens. Aquilo que Deus fala em sua Palavra é mandamento para nós. É ordem. Discípulos devem ser seguidores com disciplina. A Bíblia fala que não adianta chamarmos a Jesus de Senhor e não obedecermos à sua vontade. Temos que obedecer às ordens de Jesus. E só temos como conhecer a suas ordens à proporção que meditamos nas sua Palavra. Sua palavra é um norte direcionado para nós. Não somos somente ouvintes. Ouvimos e aprendemos a obedecer à sua vontade, depois, praticamos aquilo que Ele quer.

E como devemos entender o dinheiro? Que mentalidade temos sobre dinheiro? Sobre as riquezas? O dinheiro nos domina ou ele nos ouve e obedece? Por exemplo, quando somos chamados a participar de um dos princípios mais extraordinários da Bíblia, que é semear, ofertar, achamos isso um privilégio que gera alegria? Ou nos levantamos com o coração contrário a isso? Contrário ao doar generosamente. Quem fala conosco, nessa hora, é Jesus ou é o dinheiro? Nos nossos gastos pessoais, gastamos por impulso, ou por sabedoria?

MUITAS PESSOAS SÃO ESCRAVAS DO DINHEIRO, PORQUE GASTAM ATÉ O QUE NÃO TÊM, PARA PARECER O QUE NÃO SÃO.

Quantas pessoas precisam gastar desesperadamente para se sentirem felizes ou até superiores em relação aos outros? Se precisamos fazer compras para nos sentirmos felizes, tem algo de errado em nossa vida. Podemos ter coisas, conquistas, todavia, nossa alegria deve estar no Senhor e não naquilo que o dinheiro pode comprar.

Quando paro e olho para a minha vida, celebro porque Deus tem nos abençoado poderosamente a cada dia. Nunca tem faltado. A nossa alegria não está naquilo que temos, está no Senhor. Nós celebramos as dádivas e as bênçãos que ele nos dá; Ele é a fonte e o propósito dessa alegria. Eu não estou alegre porque tenho uma quantidade determinada de dinheiro, estou alegre pois o meu Deus tem cuidado de mim.

Dinheiro é e deve ser sempre o meu escravo. A fonte da minha alegria, da minha felicidade, do meu regozijo é Jesus. O meu contento é o Senhor. Sou grato por tudo o que me tem dado, entretanto, Ele é o principal. Não posso ser dominado pelo dinheiro. Devo ser o dominador sobre ele. Quando você se rende a Deus, se sujeita e obedece aos Seus mandamentos; todas as coisas, Deus coloca sob o seu governo, inclusive o dinheiro.

SÓ PODEMOS GOVERNAR SOBRE O DINHEIRO SE DEUS GOVERNAR SOBRE NÓS.

Quando somos os senhores sobre o dinheiro, mostramos o senhorio de Jesus Cristo sobre todas as coisas. Quando somos os senhores sobre o dinheiro, decidimos o que fazer com ele. Não são outras pessoas, nem as circunstâncias, somos nós que decidimos. Deliberamos o que semear, o que doar, o que primiciar, porque somos os senhores sobre aquilo que possuímos. Quando estamos dentro do propósito divino, nossas posses estarão também. O dinheiro deve ser só o dinheiro. Deus sempre deve vir em primeiro lugar e não somente primeiro – o lugar de Deus em nossas vidas deve ser único. Nada e nem ninguém podem tomar esse lugar que é só dEle.

Quando não entendemos isso, corremos o risco de desenvolver uma relação muito errada com o dinheiro.

Necessitamos decidir quem é o nosso senhor e o que está debaixo do nosso senhorio. Jesus nunca vai estar debaixo do nosso senhorio, ele é Deus e governa sobre todas as coisas. Debaixo do nosso senhorio é o lugar do dinheiro. Jesus é Senhor de Senhores, governa sobre nós para que reflitamos o senhorio dele governando sobre as coisas. Somente com essa mentalidade estaremos preparados para Deus colocar riquezas em nossas mãos. O dinheiro nunca deve tomar o lugar de Jesus Cristo em nossa vida. Se assim for, estaremos prontos para adquirir e construir riquezas, ademais de multiplicá-las.

05

JESUS, A MELHOR OFERTA

Será que Jesus olha pela quantidade da oferta, ou pela representatividade?

Jesus sentou-se em frente do lugar onde eram colocadas as contribuições, e observava a multidão colocando o dinheiro nas caixas de ofertas. Muitos ricos lançavam ali grandes quantias.

Então, uma viúva pobre chegou-se e colocou duas pequeninas moedas de cobre, de muito pouco valor.

Chamando a si os seus discípulos, Jesus declarou: *"Afirmo-lhes que esta viúva pobre colocou na caixa de ofertas mais do que todos os outros.*
Todos deram do que lhes sobrava; mas ela, da sua pobreza, deu tudo o que possuía para viver".

Marcos 12:41-44

Jesus sempre observa nossa atividade de dar, de doar, de plantar e semear. Jesus sempre está olhando para aquilo que podemos dar. Jesus sempre vai responder às nossas atitudes. Ele é aquele que mais observa como nos relacionamos com o "dar". Esse texto fala que aqueles que ofertavam grandes quantias, ofertavam daquilo que lhes sobrava. A sobra é aquilo que não faz nenhuma falta, que não faz diferença nenhuma na vida de quem está ofertando. Já a viúva, a Bíblia diz que ela deu tudo o que tinha. As duas moedas que possuía; eram tudo para ela. Fariam muito falta, posto que ela não estava dando uma sobra. Como que será que Jesus observa isso? Quais são os critérios, os métodos, os padrões para Ele observar a nossa maneira de nos relacionar com o dar.

Será que Jesus olha pela quantidade da oferta, ou pela representatividade? Porque o dinheiro representa formas e volumes diferente para cada um. Por exemplo, para um tipo de pessoa, R$ 100,00 não é muito. Ela pode fazer uma refeição a este valor, enquanto que para outros, esse mesmo valor representa muito. Jesus olha sempre pela representatividade. Jesus, nessa história, não está olhando somente pela ótica do quanto alguém dá, mas o que poderia ter sido dado. A nossa quantidade pode ser muito parecida com sobras, ainda que sejam quantias altas.

Eu lembro da história de uma senhora, moradora de rua, que no aeroporto veio me pedir uma esmola. Ela estava chorosa, e ninguém, até então, na saída do aeroporto, tinha dado nada para ela. Pouco antes dela chegar em mim, a senhora passou por uma moça que a xingou. Aquela senhora sentou no chão, perto de mim, dizendo que estava apenas pedindo um dinheiro para fazer uma refeição. Quando um morador de rua chega e pede dinheiro, a primeira coisa que fazemos é ir atrás das moedas para dar. Muitas vezes, nosso pensamento em relação aos mendigos é que eles só merecem a sobra. Quando aquela senhora me pediu se podia ajudá-la, como de costume, a primeira coisa que fiz foi começar a procurar umas moedas nos meus bolsos. Ela se contentaria com aquelas moedas. Naquele momento, o Senhor disse-me: "Irineo, essa mulher não quer uma moeda. Ela quer comer, ela quer ter uma refeição e não tem como comer moeda." Porém, o choque veio mesmo quando o senhor me perguntou: "Quem é o mendigo, você ou ela?" Ali, aprendi a lição de que, por vezes, nossa mente nos condiciona a uma mente de escassez. Estava formatado, na minha cabeça, ver um mendigo e saber que ele precisava de umas moedas. Contudo, aquela senhora não precisava de moedas, precisava de uma refeição. Naquele instante, o Senhor ensinou-me que eu tinha que tratar de outra maneira aquela situação. Não nas sobras, e sim na representatividade. O Senhor disse-me, ainda, que, como filho de Deus, minha postura precisava ser diferente. Aprendi que, em frente daquela mendiga, eu tinha que me relacionar com ela como um filho de Deus e não como mais um mendigo. O senhor convocou meu coração a pegar a maior nota que eu tinha no meu bolso para dar aquela mulher. A maior nota que eu tinha era cinquenta reais, naquela época, esse valor era muito mais expressivo do que hoje. O senhor orientou-me que deveria dar a melhor representatividade de um filho de Deus para aquela mulher. Quando dei os R$ 50,00 à mulher, a primeira reação dela foi começar a chorar e beijar a minha mão, dizendo que eu era um anjo de Deus. Aquela lição mexeu muito comigo. Deus não está olhando o que você oferta na sobra. A sobra sobrou, não vai lhe fazer falta. Uma necessidade não suprimos com sobras, suprimos com representatividade.

Na história que lemos, há pessoas que estavam dando grandes quantidade em ofertas, no entanto, que tinham a representatividade de uma moeda. Todavia, havia uma mulher que deu moedas e a representatividade dela era de uma fortuna. Aquelas moedas eram tudo o que ela tinha, portanto, eram a sua fortuna. Há uma inversão de valores grandes aqui.

Precisamos refletir sobre quantidades e representatividades. Se a Bíblia diz que com a mesma medida que medirmos seremos medidos, precisamos fazer uma reflexão pessoal se estamos medindo nas sobras. Se medimos com as sobras, seremos medidos dessa maneira. Eu não devo ajudar alguém que está passando por necessidade simplesmente porque está sobrando, mas por uma ideia de representatividade. Não nos movemos no reino dessa forma. A Bíblia diz que não damos oferta por necessidade. Paulo vai ensinar que sempre de doarmos, ofertarmos, devemos dar de nosso coração. Não devemos sair distribuindo sobras, temos que plantar. Quem planta pouco, vai acabar colhendo pouco.

Lucas, nesse texto, não está falando de dinheiro unicamente. Em todas as áreas da vida, o que importa é oferta de representatividade. Se olharmos o texto de Lucas 6, a exemplo, diz que se alguém nos bater numa face, devemos dar a outra, se alguém nos obrigar a caminhar uma milha, vamos porque somos obrigados, entretanto, depois, caminhamos mais uma milha porque algo aconteceu conosco. A graça de Deus foi representada na pessoa de Cristo, e Cristo é a maior oferta de representatividade. Não é mais uma sinalização de Deus, é uma representação, por isso que, no Novo Testamento, aquilo que na lei era um princípio, mandamento a ser cumprido, na graça, é mais forte que isso, se torna uma representatividade. Nós não indicamos mais a Deus, nós O representamos, porque Ele vive dentro de nós. O melhor que Deus tinha, nos deu, que era o seu Filho Jesus, a maior oferta de representatividade. Se Deus deu o melhor que tinha, por que nós não podemos, também, dar o melhor que temos como oferta de representatividade aos outros?

Precisamos fazer essas perguntas. Nos movemos na quantidade ou na representatividade? Nas sobras, ou naquilo que representa o nosso melhor? Em relação ao tempo, por exemplo, damos o melhor do nosso tempo ou somente o tempo que sobra? Deus não é um mendigo que está atrás das nossas sobras, Deus quer aquilo que representa o nosso melhor. Dar o nosso melhor deve sempre ser o caminho.

Em relação a vida emocional, não podemos só dar o nosso pior. Gastamos nossa energia boa, nossa alegria, em coisas supérfluas, e para os filhos e a esposa damos as sobras? Isso não pode acontecer. Não somos obrigados a dar nada para ninguém, nem tempo, nem emoções, mas o que queremos colher? Se queremos colher coisas boas, temos que plantar coisas boas em tempo, em emoções e, com certeza, em finanças. É muito diferente quando damos somente aquilo que sobra, ou quando damos algo que tem representatividade, que tem valor, que vamos sentir.

Há uma música inspirada na fala de Davi que diz: "Não te darei algo que não me custe". Nossa maior oferta é aquela representativa. Não se trata de quantidade. Não importa o valor, importa o que a nossa oferta representa e o que queremos colher a partir dessa oferta.

06

ACIMA DAS RIQUEZAS, DEUS DEVE SER A NOSSA MAIOR ALEGRIA

Deus nunca vai abandonar-nos, e se Ele for a nossa fonte de contentamento, seremos felizes tendo pouco ou tendo muito.

Conservem-se livres do amor ao dinheiro e contentem-se com o que vocês têm, porque Deus mesmo disse: "Nunca o deixarei, nunca o abandonarei".

Hebreus 13:5

É imprescindível definirmos, em nossa vida, a nossa fonte de contentamento. Muitas pessoas, por não entenderem qual é a sua fonte de contentamento, invertem os valores, vão para o contrário da verdadeira rota.

Em Deuteronômio (28:1) encontramos: *"Se vocês obedecerem fielmente ao Senhor, ao seu Deus, e seguirem cuidadosamente todos os seus mandamentos que hoje lhes dou, o Senhor, o seu Deus, os colocará muito acima de todas as nações da terra...."* E o Senhor vai definindo bênçãos que estarão sobre eles até o verso 14. Essa é a rota de caminho do contentamento através da obediência. A rota das bênçãos de Deus nas nossas vidas toma um caminho diferente do que o caminho do mundo. Em consequência, a nossa maior paixão e devoção é a Deus.

A maioria dos crentes saem de casa pela manhã à procura de dinheiro, desesperados, sem oração, sem instrução de Deus, sem uma definição correta de contentamento. E, pessoas que não tem esse princípio claro, quando passam por lutas e dificuldades, acham que

Deus não está mais com elas, uma vez que trabalham tanto, correm tanto e nunca estão felizes. O que esses crentes não entendem é que não adianta correr atrás de bênçãos, porque elas foram criadas para correrem atrás de nós. Elas foram preparadas por Deus dentro de uma rota onde são elas que vão nos alcançar. É muito bom trabalhar, conquistar, tudo isso está certo, mas o nosso primeiro contentamento e nossa maior alegria deve sempre ser o Senhor.

Nesse texto de Hebreus, a orientação não é para nos contentarmos com pouco em termos de "arroz e feijão", porém, em relação ao direcionamento da nossa alegria. Precisamos pensar onde está a nossa maior alegria? Qual é a fonte da nossa verdadeira satisfação? Tudo na vida decepciona, sim, exatamente tudo, inclusive nós mesmos nos decepcionamos, se temos essa consciência de que tudo na vida decepciona, devemos nos firmar em algo que não decepciona, que é perfeito, que é eterno, que é o nosso Senhor. Os fundamentos ancorados da nossa alma devem estar enraizados naquilo que é a verdadeira perfeição e nunca vai nos decepcionar. Precisamos ter uma definição clara de qual é o contentamento das nossas vidas.

Se a nossa definição de contentamento forem as coisas, isso se tornará uma tragédia na nossa vida. Quando tivermos problemas no casamento, vamos querer o divórcio, quando as coisas não derem certo ao nosso redor, vamos querer culpar Deus e o mundo, ou vamos nos retrair e ficar dentro de um complexo de inferioridade, tudo isso porque a nossa fonte de contentamento está errada. Não se pode inverter os papéis, em função disso, o primeiro mandamento não é sair trabalhando e conquistando, é "Amarás o Senhor teu Deus, de todo o teu coração, de toda a tua alma e com todas as tuas forças." É a partir do amor ao Senhor que todas as outras coisas em nossas vidas devem tomar forma.

DEUS NOS PREPAROU, SIM, PARA QUE SEJAMOS CONQUISTADORES E TRABALHADORES, MAS NÃO ANTES DE NOS CHAMAR A AMÁ-LO DE TODO O CORAÇÃO E COM TODO O NOSSO SER.

Tudo foi criado por Cristo, por meio de Cristo e para Cristo, e sem Cristo nada teria sido feito. Se tivéssemos somente esse versículo na Bíblia já conseguiríamos entender isso. A verdade é essa: Sem Cristo nada se faz. Sendo assim, nossa meta de contentamento é o Senhor. Ao seu redor, têm coisas que vão lhe frustrar, não vai ser tudo perfeito, todo dia. Quantas pessoas que se casam para serem felizes? Colocaram a sua fonte de alegria no casamento? Ao invés de trabalharem para fazer o outro feliz, pensam somente em si mesmos. Um casamento só será pleno e feliz se ambos trabalharem com o contentamento correto. Por quê? Porque nosso maior contentamento é Deus. Deus ama a minha esposa. Então ele vai se manifestar em mim para que eu possa torná-la feliz. Somente assim pode-se caminhar em um casamento de duas pessoas imperfeitas. Com dinheiro e as riquezas é a mesma coisa. Se tivermos um contentamento maior nas riquezas do que em Deus, há um problema sério na nossa vida, e algo que precisa ser ajustado. É muito bom conquistar e se alegrar nas conquistas, o que não podemos esquecer é que a glória disso sempre pertence e pertencerá ao Senhor.

A Bíblia diz que Abraão se fortalecia dando glórias a Deus justamente porque cada uma de suas conquistas ele dedicava ao Senhor. Ele sabia que aquela produção de riquezas não vinha somente dele, vinha do Senhor, o lugar de contentamento em que ele estava era maior do que ele.

Se nosso coração não se mover dessa forma, veremos aquilo que estamos identificando em muitas pessoas e em muitos lugares. Pessoas que por qualquer coisa ruim se descontentam com a Igreja, com Deus, com o casamento, com os negócios. E isso toca todas as áreas, justamente porque está tudo invertido. É preciso corrigir a rota. Quando erramos o caminho, o primeiro passo é corrigir a rota, para não ficar sofrendo no caminho errado, e vivendo as consequências do caminho errado. Desse modo, é preciso corrigir a rota, voltarmos ao lugar onde nos perdemos, reajustar e seguir em frente.

Tudo posso naquele que me fortalece.

Filipenses 4:13

Todos gostam desse texto. Contudo, muitos esquecem de ver os versículos anteriores:

Não estou dizendo isso porque esteja necessitado, pois aprendi a adaptar-me a toda e qualquer circunstância. Sei o que é passar necessidade e sei o que é ter fartura. Aprendi o segredo de viver contente em toda e qualquer situação, seja bem alimentado, seja com fome, tendo muito, ou passando necessidade.

Filipenses 4:11,12

Paulo está dizendo que o contentamento dele nunca foi pelas coisas. Ele já teve poucas coisas e, ainda assim, não se abalou. Ele mostra que aprendeu a viver tendo poucas coisas assim como aprendeu a viver tendo muitas coisas. O contentamento dele não estava em ter poucas coisas, como também não estava em ter muitas coisas. E, a partir disso, Paulo profere essa célebre frase que ecoa até hoje no coração e na mente dos cristãos: "Tudo posso naquele que me fortalece."

Filipenses é conhecida como a carta da alegria. Aconselho você a tirar alguns minutos do seu dia para ler, é uma carta pequena, com apenas 4 capítulos. A Igreja que estava em Filipos era uma igreja livre, podia fazer o que queria, e Paulo estava preso. Esse é um paradoxo interessante. Paulo estava preso enquanto escrevia a carta da alegria. Preso num lugar em Roma, onde passava o esgoto da cidade, dormindo com ratos e com fezes. E ele escrevia essa carta dentro desse contexto, dizendo, para aquele que povo que estava livre, que eles deveriam se alegrar no Senhor. O centro de alegria, de contentamento daquele povo deveria ser o Senhor, visto que, mesmo Paulo estando em uma prisão romana, no esgoto, tinha a fonte da sua alegria e contentamento e esperança não nas coisas, não na sua situação, mas no Senhor.

Paulo estava apenas apontando o ajuste de rota que todos devemos ter no coração. Por mais que as coisas desse mundo pareçam maravilhosas, não devemos nos encantar com elas, e sim com o Senhor. Poderemos conquistar riquezas, dinheiro – tudo isso continua sendo um meio. Damos glória a Deus por cada conquista, nos esmeramos para trabalhar, construir e produzir riquezas dentro dos padrões e princípios de Deus, ainda assim, elas continuam sendo um meio para proporcionar uma vida boa a nós e nossa família, para proporcionar a pregação do evangelho do reino, para ser generoso em favor dos outros, no entanto, a maior alegria, ao acordar de manhã, não é saber quanto temos no banco, é saber o quanto temos em Deus, a fonte da nossa devoção maior. Saber que Deus, antes de tudo, chamou-nos para sermos adoradores e pessoas que buscam e amam sua presença.

Quantas pessoas passaram por circunstâncias muito menores que as de Paulo naquela prisão romana e não se alegram no Senhor. São livres para terem o que quiserem, apesar disso, não se alegram no Senhor. O centro de contentamento dessas pessoas está nas coisas e elas nunca estão felizes e contentes, mesmo tendo liberdade. Pessoas assim, quando possuem as coisas, mudam a rota. Vemos muitas pessoas que pobres, buscavam a Deus, ao enriquecerem, abandonaram Deus, abandonaram a Igreja. Outros, pela falta das coisas, ficam, todos os dias, criticando tudo e todos.

A Bíblia nos ensina a sermos contentes com o que temos, todavia, não significa contentarmo-nos com pouco. A alegria é da certeza e convicção de que o Senhor nunca vai nos abandonar. Com essa certeza de que o Senhor nunca vai nos abandonar, ainda que tenhamos pouco, seremos felizes, porque o nosso foco estará ajustado. Seremos felizes no pão seco, como no caviar, pois a alegria não será por aquilo que está em nossa frente, mas sim pelo fato de que o Senhor estará conosco.

Em um determinado momento da vida de Paulo, os religiosos judeus e os políticos romanos começaram a disputar de quem era Paulo. Quem era o dono desse famoso prisioneiro que estava influenciando todo o mundo da época. Paulo respondeu que ninguém poderia ser dono dele posto que estava preso em Cristo e Cristo era o seu dono. É como se Paulo dissesse que por estar preso em Cristo todas as outras "prisões", para ele, eram liberdade. Nada poderia prender a Paulo de verdade – ele já estava preso a Cristo. Nada poderia tirá-lo do seu maior alvo. E ele se tornou o maior apóstolo, o maior evangelista de todos os tempos. Atravessou continentes pregando o evangelho e implantando igrejas.

Nunca devemos ler o texto de Hebreus (13:5), que foi base para esse conselho, entendendo que Deus quer que tenhamos pouco e sejamos felizes com o pouco. O que Deus quer ensinar nesse texto é que tenhamos o foco correto e a fonte de contentamento correta, sabendo que Deus nunca vai abandonar-nos, e se Ele for a nossa fonte de contentamento, seremos felizes tendo pouco ou tendo muito. Não abandonaremos a Deus por nada, nem por pouco nem por muito. Não estaremos a venda para o mundo, haja vista que fomos comprados por um alto e bom preço. Somos propriedade exclusiva de Deus e é nEle que está arraigada a nossa alegria, a nossa esperança, a nossa fé e as nossas motivações. A partir de então, podem vir lutas e desafios, se estivermos na rota certa, venceremos. Nesse sentido, o Senhor vai nos suprir com sabedoria, estratégias, entendimento, com acelerações para nos abençoar, mesmo no tempo de crise. Deus abençoar-nos-á e as nossas finanças, já que não estamos arraigados nas coisas, porém, no Senhor. O centro da nossa alegria é o Senhor e não as coisas, se compreendermos assim, elas não nos farão mal. Tudo o que o Senhor nos der será para glorificá-lo e sempre nos alegrarmos nEle.

07

DIREÇÃO E PROPÓSITO PARA AS RIQUEZAS

A graça que opera em nós também precisa ser desenvolvida em boas obras.

Ordene-lhes que pratiquem o bem, sejam ricos em boas obras, generosos e prontos para repartir.

1 Timóteo 6:18

Esse versículo está dando um conselho de como devemos nos comportar frente as riquezas. Uma das maiores sabedorias que o homem pode ter em relação a dinheiro e riquezas é ter sabedoria e propósitos celestiais. Crescer sem propósito e sem discernimento a respeito das suas riquezas trará consequências negativas futuramente. Quem prospera em seus negócios e realizações nesse mundo, sem considerar o reino de deus, terá apenas o prestígio, riqueza, status social, fama, poder, reconhecimento social transitórios, entretanto, nenhum impacto com a eternidade, nenhum impacto com o projeto de Deus e não terá relevância alguma no Reino.

Ordene aos que são ricos no presente mundo que não sejam arrogantes, nem ponham sua esperança na incerteza da riqueza, mas em Deus, que de tudo nos provê ricamente, para a nossa satisfação.

1 Timóteo 6:17

Um dos propósitos do céu a respeito das finanças é a nossa satisfação pessoal também, dado que nossas riquezas podem produzir boas medidas.

Muitas pessoas acham que a graça de Deus não existe, ou que a graça de Deus não vale de nada, e até mesmo pessoas que têm o entendimento errado a respeito de finanças, são pessoas que estão sempre falando mal, cheios de argumentos e arrogância.

Os ricos carecem ter o propósito de praticar o bem, ou seja, a graça de Deus acelera, em nós, a transmissibilidade do Evangelho, quer dizer, não achar que é algo vulgar e que não custa nada. A graça de Deus opera, acelera nossa condição de praticar o bem. Existem milhares de pessoas que lançam palavras incrédulas, que vivem com uma mente religiosa, que falam da vida dos outros, contudo, na hora de praticar o bem e colocá-lo em prática, não estendem a mão.

Disse Jesus: "Um homem descia de Jerusalém para Jericó, quando caiu nas mãos de assaltantes. Estes lhe tiraram as roupas, espancaram-no e se foram, deixando-o quase morto. Aconteceu estar descendo pela mesma estrada um sacerdote. Quando viu o homem, passou pelo outro lado. E assim também um levita; quando chegou ao lugar e o viu, passou pelo outro lado.
Mas um samaritano, estando de viagem, chegou onde se encontrava o homem e, quando o viu, teve piedade dele.

Aproximou-se, enfaixou-lhe as feridas, derramando nelas vinho e óleo. Depois colocou-o sobre o seu próprio animal, levou-o para uma hospedaria e cuidou dele.

Lucas 10:30-34

A ação de Deus é uma oportunidade para prestar ajuda e estender a mão para quem precisa. Nosso coração deve ser como de um bom samaritano, não um coração religioso, e sim o coração de alguém que pratica o bem, pois pessoas que enriquecem sem praticar o bem, não tem relevância no Reino de Deus. Uma das grandes práticas do propósito de Deus é realizar o bem e ser rico de boas obras. Muitas pessoas têm o entendimento errado referente à graça, consideram que porque fazem são salvos pela graça, não precisam fazer obras, e até criticam aqueles que fazem obras.

A GRAÇA QUE OPERA EM NÓS TAMBÉM PRECISA SER DESENVOLVIDA EM BOAS OBRAS.

Paulo fala sobre ser rico, e não é apenas sobre dinheiro que ele se refere, mas ser rico de boas obras, ricos de bondade, ele também fala sobre praticar a generosidade – esta deve ser uma marca do cristão. Quantas vezes fomos abordados por algum morador de rua e oferecemos a ele a nossa menor moeda, oferecemos a ele o que para nós não significaria nada, nessas situações, mostramos que temos uma mente de mendicância, e não agimos como filhos de Deus. A Bíblia fala que quando alguém lhe pedir algo pra comer, dê o que comer, aja com generosidade e pratique isso no seu coração, um morador de rua não vai conseguir comprar um prato de comida com a sua menor moeda, dê aquilo que você gostaria de receber. Generosidade é um mandamento de Deus.

Que sejamos generosos com o pouco que temos, estejamos prontos para repartir o evangelho, e reflitamos sobre com quantas pessoas repartimos o evangelho nos últimos dias, será que temos pregado o evangelho, ou feito do evangelho o nosso escudo pessoal? Será que o evangelho, em nós, tem sido apenas um esconderijo para Deus? A Bíblia fala sobre repartir o que recebemos. Quantas pessoas já vimos ficar anos dentro da Igreja, perdem a paixão por evangelizar, por espalhar a Palavra de Deus e se tornam pessoas vazias, que matam a mensagem de Cristo. Precisamos estar prontos, em qualquer momento. Estar pronto para repartir o evangelho, pregando, testemunhando, falando, contribuindo na vida daqueles que estão fazendo isso, investindo financeiramente nas vidas que estão proclamando o Evangelho por todo o mundo, e repartindo o pão, visto que existem inúmeras pessoas esperando um simples pedaço de pão. O que é pouco para nós, pode ser o muito para quem não tem. Como criar um firme fundamento com as riquezas? Não se acumula nada na vida sem a bênção de Deus.

Dessa forma, eles acumularão um tesouro para si mesmos, um firme fundamento para a era que há de vir, e assim alcançarão a verdadeira vida.

1 Timóteo 6:19

A Bíblia afirma que a chuva vem para os bons e os ruins, a diferença está onde cada um plantou suas sementes, quais foram suas práticas e onde sua fé esteve ancorada, pois todos poderão conquistar bons tesouros e, no momento de crise no mundo, Deus faz seus tesouros prosperarem. Aqueles que estão em Deus terão um ambiente de revelação, pois a fé é um firme fundamento, as tempestades virão e não seremos atingidos.

Como profeta, quero dizer que em 2021 a 2030 iremos ver uma das eras mais importantes que já houve, veremos uma era de muitas catástrofes, na área de finanças, de riquezas, de transferências de riquezas, e qual fundamento estamos criando? Qual entendimento temos criado no tocante às riquezas para essa era que há de vir? Será que temos gastado tempo nos enchendo de incredulidade, de horror e medo ou temos nos preenchido de Deus para criar um tesouro e ser abençoado, para criar uma riqueza para nossos filhos, para o Reino, para nossa própria necessidade? Será que temos investido em implantar a cultura do céu ao nosso redor? Que essas perguntas nos tragam uma reflexão pessoal de mudança e de relevância na terra e no Reino dos céus.

QUE TENHAMOS DIREÇÃO E PROPÓSITO PARA NOSSAS RIQUEZAS, MAS NUNCA CONFIEMOS NAS NOSSAS RIQUEZAS, QUE POSSAMOS ENTREGAR NOSSA CONFIANÇA NO SENHOR.

08

TRATANDO O CORAÇÃO CONTRA O SUBORNO

O suborno faz com que a justiça, normalmente, não seja feita.

A Bíblia discorre muito sobre esse assunto e trataremos alguns textos sobre isso.

Esse, como todo pecado, entrou no mundo com a queda de Adão. No entanto, a esperança é de que os pecados foram vencidos na cruz pelo poder de Jesus e, por isso, nós podemos ser libertos dessa realidade.

Vamos ler um texto no livro de Jó, o livro mais antigo da Bíblia Sagrada.

Cuidado! Que ninguém o seduza com riquezas; não se deixe desviar por suborno, por maior que este seja.

Jó 36:18

Esse texto começa com uma advertência, como se Deus colocasse uma placa escrita "PERIGO, NÃO AVANCE COM ISSO", "não caminhe nessa direção". Essa é advertência de Deus. O suborno está dentro de uma esfera do "tirar vantagem" e não do conquistar. Suborno fala de usufruir pela lei da vantagem daquilo que, por direito, não é nosso e não nos é permitido.

Vivemos em um país onde o suborno é endêmico porque, de algum modo, está entranhado em todos os cantos. Não é deficiência de uma só área da nação, está em todas as esferas. Há suborno na esfera familiar, na esfera dos negócios, na política, nas grandes empresas e muito mais. Como vemos muito isso na esfera da política, costumamos dizer que a classe política do Brasil está acabada. Porém, não é só a classe política, é toda a nação. Somos nós que cooperamos com isso. Em cada lugar que há corrupção no país, seja na área da saúde, segurança, economia, mostra esse extrato da sociedade. Não são somente políticos que são corruptos. Eles só representam, muitas vezes, um problema que está aparente em toda a sociedade. É um pecado que nós precisamos extinguir da nossa nação. E precisamos começar na esfera pessoal. Não adianta mudar lá em cima, se não mudar aqui embaixo. Tudo o que vemos nas esferas maiores revelam um extrato da sociedade de modo geral. A Igreja da mesma forma, ela sempre vai ser um extrato das pessoas que estão nela.

O suborno e a corrupção são um mal que lavou a nossa nação. Infelizmente, não vemos muitos ensinamentos acerca disso na Igreja. Geralmente, na Igreja, falamos de dois fundamentos em relação a finanças: o dizimar e ofertar. Todavia, é muito maior do que isso. Esses princípios não estão alienados das outras esferas em que lidamos com recurso. Caímos no erro de pensar que nos movendo nesses dois princípios estamos aptos para prosperar em todas as áreas, mesmo que façamos coisas ilícitas com o restante de nossos recursos. Às vezes, pensamos que esses princípios são uma taxa que pagamos para Deus a fim de que Ele faça vista grossa de nossas outras atitudes em relação ao dinheiro.

Seguindo no texto, vamos pensar sobre como podemos buscar riquezas sem sermos seduzidos por elas?

Em primeiro lugar, temos que nos desviar de tudo aquilo que não é nosso. Segundo, não podemos entrar em negociatas que vão corromper o nosso coração. Talvez, em alguns momentos, pensemos: "Ah, eu não entro em negociatas". Entretanto, do que abrimos mão, aos poucos? Toda corrupção começa aos poucos. Começa com pequenos subornos.

Eu já aconselhei casais em que os pais subornavam os filhos. As mães subornavam os filhos para não contar certas coisas ao pai e vice-versa. Parece ser uma coisa tola, mas é um suborno. Não estamos unicamente nos corrompendo, estamos corrompendo nossos filhos também, ensinando àquela criança que, em certos momentos, vale corromper. Isso desestrutura toda a família. Tudo começa com as pequenas coisas. Corrupção não é só quando vemos a Polícia Federal fazer grandes apreensões de dinheiro de corrupção, ocorre, igualmente, quando, em casa, oferecemos algo a nossos filhos para que eles não relatem algo errado que fizemos.

1. O SUBORNO TRAZ PERVERSÃO PARA A JUSTIÇA

O suborno faz com que a justiça, normalmente, não seja feita. No reino de Jesus não pode haver isso. Quando Jesus vier governar no milênio, mostrará como se governa o mundo com justiça e equidade. Se há algo extremamente triste é quando a justiça não é feita em determinada situação. Vemos isso nos tribunais todos os dias.

Penso e me pergunto: como que os mais vulneráveis podem se sentir amparados pela justiça se, habitualmente, em alguma instância, ela está corrompida?

2. O SUBORNO NOS ROUBA SABEDORIA

Toda pessoa que aceita o suborno no coração está corrompida em justiça e em sabedoria. A pessoa de coração corrompido não é sábia. Tudo o que ela faz é um blefe, um jogo, um egoísmo para fazer apenas o que lhe é conveniente. O suborno cega os sábios. Observemos o texto:

Não pervertam a justiça nem mostrem parcialidade. Não aceitem suborno, pois o suborno cega até os sábios e prejudica a causa dos justos.

Deuteronômio 16:19

Vemos nos jornais quantas empresas enormes envolvidas em escândalos de corrupção e suborno. Recentemente, vi um senhor, dono de um grande banco, envolvido em esquemas de corrupção dentro e fora do Brasil, chorando ao dar uma entrevista, declarando que sentia vergonha de ter se tornado assim. Segundo ele, começara honesto e justo, querendo produzir riqueza, contudo, à medida que as chances e os subornos apareceram, foi perdendo a sabedoria. Aquele homem estava terminando a vida com uma fortuna gigante, não obstante, cheio de processos judiciais contra si. Declarou, outrossim, na entrevista, que a coisa mais triste da sua história era, ao final de sua vida, não ter deixado um nome, pois havia se "sujado com as pessoas mais sujas do mundo corporativo", nas próprias palavras dele.

3. O SUBORNO CORROMPE O CORAÇÃO

A opressão transforma o sábio em tolo, e o suborno corrompe o coração.

Eclesiastes 7:7

O coração corrompido é como uma lepra. Pensemos na história de Elias. Eliseu e Geazi. Eliseu decidiu servir ao Senhor, aprendendo com Elias e recebendo da sua unção. Quando Elias foi levado aos céus, Eliseu estava pronto para assumir o seu lugar como profeta de Deus. Eliseu nunca quis as coisas de Elias, mas queria a sua unção, diferentemente de Geazi, que ficou seduzido pelas coisas. O coração dele estava nisso. No primeiro episódio que Eliseu não aceitou uma oferta, Geazi foi às escondidas, sem Eliseu saber, e pegou a oferta. Estava disposto ao suborno porque estava com seu coração nas coisas. O resultado disso foi que acabou leproso.

Consigo recordar de muitas pessoas que passaram pelas nossas vidas, cresceram, serviram nosso ministério e, hoje, são maiores que nós, algo em comum é que elas nunca tiveram o coração naquilo que eu tinha. Eles não queriam minhas coisas, queriam servir a Deus comigo e Deus as honrou. Todos eles se tornarão grandes na nação. Agora, também, houve pessoas que passaram pelas nossas vidas e só queriam as nossas coisas. Desejavam ter o que tínhamos. Ao olhar para essas pessoas, hoje, a maioria delas não conseguiram romper na vida, afinal, o coração voltado somente para as coisas, fica leproso.

4. O SUBORNO TORNA AS PESSOAS INSENSÍVEIS

Seus líderes são rebeldes, amigos de ladrões; todos eles amam o suborno e andam atrás de presentes. Eles não defendem os direitos do órfão, e não tomam conhecimento da causa da viúva.

Isaías 1:23

Essa é uma advertência séria de Isaias. Ele está falando de uma liderança corrompida que aceita subornos, pensam exclusivamente em si, estão com o coração nas coisas e deixam os mais vulneráveis de lado. A advertência de Isaias é para os líderes religiosos de sua época. Há muitos líderes religiosos em nosso tempo, corrompidos. Pessoas que são sempre insensíveis quanto a causa dos mais necessitados. Precisamos fazer uma reflexão pessoal: Se não estamos nos importando com os pobres e necessitados, será que, de alguma maneira, nosso coração não está corrompido? Se achamos que não é conosco e não precisamos nos preocupar, com certeza, nosso coração está debaixo de corrupção. A Bíblia diz claramente, em Isaias, que essa insensibilidade é uma característica de um coração carregado de suborno. Vimos isso em nosso país, recentemente. Bilhões e bilhões de reais envolvidos em esquemas de corrupção nos mais altos escalões da política. Esse dinheiro poderia abençoar os pobres e vulneráveis da nação, no entanto, indo direto para o bolso de políticos e empresários corruptos. Foi um rombo tão grande que, à proporção que o dinheiro entrava no bolso, mais distantes das necessidades do país eles estavam. Como dito, isso é um extrato de nossa sociedade, e porque não dizer de nossa Igreja. A cura disso deve começar por nós.

COMO TRATAMOS O NOSSO CORAÇÃO PARA NÃO CAIR EM SUBORNO?

Inicialmente, precisamos dar atenção às pequenas coisas. Entender que os pequenos subornos abrem caminho para os maiores. Devemos ajustar isso. Fazer perguntas como: "Onde eu errei com minha esposa, com meus filhos nesse sentido, com meus colegas?". Precisamos dar atenção para não deixarmos entrar em nosso coração, nem nas pequenas coisas. Num segundo momento, caminhar dentro de uma integridade. Ter princípios e movermo-nos sobre eles. Praticar a justiça e buscá-la acima de tudo, não deixando nosso coração ser levado pelas coisas. Tal atitude levar-nos-á a produzir riquezas sem sermos seduzidos por elas. Com o coração limpo e sensível à causa dos mais vulneráveis e carregado da sabedoria de Deus. Quando permitimos que nosso coração se corrompa com as riquezas, outras áreas da nossa vida são igualmente afetadas. Quem é subornável em uma coisa, será subornável em outra. Precisamos corrigir a nossa rota nesse sentido e guardarmos o nosso coração.

09

ARRUMANDO NOSSO CORAÇÃO

Quem ama o dinheiro, em algum momento, ficará sem ele.

Não confiem na extorsão, nem ponham a esperança em bens roubados; se as suas riquezas aumentam, não ponham nelas o coração.

Salmos 62:10

Observe que, nesse trecho, Deus não está condenando as riquezas. Adquirir riquezas não é o grande problema. O problema é quando as riquezas se tornam um fim em nossas vidas. Por isso que há muitas pessoas na Igreja que se condenam por ter riquezas e posses. Um dia, fizemos uma enquete em uma rede social, questionando se as pessoas acreditavam que todo mundo que havia adquirido riqueza na sua vida, o havia feito por meios ilícitos. Glória a Deus que a maioria disse não, todavia, uma porcentagem de pessoas disse sim. Essa é uma ideia inconsciente nas pessoas. Muitos ainda acreditam que todos que adquirem riquezas o fazem de maneira errada. Essa noção é muito comum na sociedade. Por vezes, de dentro da própria casa, ou do ambiente religioso, soa esse ar de condenação para pessoas que possuem posses.

A grande realidade é que Deus nunca condenou e nem condena quem tem riquezas. A forma com que você as adquire e o lugar que elas têm no seu coração, isso sim é importante. O grande ponto é tratarmos o nosso coração, dele procedem todas as saídas da vida. As preparações e saídas em relação às nossas finanças partem do nosso coração. O dinheiro, em nossas vidas, sempre deve ser um meio e não um fim. Imaginemos que estamos em um caminho, rumo a um destino. No meio desse caminho tem um rio. Como faremos para transpor esse rio? Precisamos construir uma ponte. A ponte não é um fim, só um meio para chegarmos aonde queremos e precisamos chegar. O destino é o local da chegada e não a ponte. As riquezas, mais propriamente dito o dinheiro, são um meio para chegarmos a determinados fins. Quando organizamos todos os aspectos da nossa vida, colocando cada coisa no seu lugar, esse problema é resolvido. Deus tem o seu lugar, a família tem o seu lugar e as riquezas também possuem o seu lugar.

A nossa esperança, o lugar para onde está apontada a bússola da nossa vida deve ser Jesus. Nossa carreira termina em Jesus. Ela não termina em um negócio ou uma grande empresa. Mesmo que haja um mau negócio, uma falência financeira, ou até uma prosperidade, nossa vida não termina ali, encerra em Cristo Jesus. Há coisas que estarão no meio do caminho, em vista disso, precisamos tratar o nosso coração organizando as coisas em seu devido lugar. Há pessoas que, em algumas circunstâncias, são contra o dinheiro. Pessoas que seguem ideias como "o dinheiro é sujo" ou "não peguem em dinheiro, isso é fonte de destruição". Pessoas ricas e prósperas jamais pensam desse jeito. Não podemos ter uma aversão, também não podemos ter amor pelo dinheiro, isso é a raiz de todos os males.

QUEM AMA O DINHEIRO, EM ALGUM MOMENTO, FICARÁ SEM ELE. E PIOR AINDA, QUEM AMA O DINHEIRO, UM DIA FICARÁ SEM ELE E SEM DEUS.

As riquezas, o dinheiro, são para que possamos construir. É um meio de construção. Em todas as Escrituras, observaremos ensinamentos sobre como guardar o coração em relação a isso, como não amar o dinheiro, a necessidade de colocá-lo no seu devido lugar. Em nenhum texto encontraremos uma palavra que diz que Deus é contrário ao dinheiro. Deus usa o dinheiro para que possamos usufruir do melhor dessa terra, entretanto, isso só acontece quando o dinheiro está no lugar correto em nosso coração.

Em nossa relação com Deus, nos rendemos, em nossa relação com o dinheiro, o usamos.

Usamos o dinheiro para negociar, para adquirir coisas. Com Deus não se negocia, porque Deus é Senhor sobre nós. Nossa relação com Deus é sempre de rendição.

Quem não empresta o seu dinheiro visando lucro nem aceita suborno contra o inocente. Quem assim procede nunca será abalado!

Salmos 15:5

Todo mundo que empresta dinheiro de alguma forma, empresta visando o lucro. Se formos para o mercado financeiro, teremos a chance de comprar uma ação e, talvez, tornarmo-nos donos de uma pequena parte da empresa que possuí essas ações. Ninguém compra uma ação ou coloca o dinheiro no banco para render juros sem visar o lucro. As riquezas foram feitas para serem multiplicadas Quando analisamos a parábola dos talentos é exatamente isso que Jesus quer dizer, todo talento deve ser multiplicado. Não há problema nenhum em negociarmos ou aplicarmos nosso dinheiro objetivando a multiplicação. Não há pecado nisso. Riquezas são feitas para serem negociadas. Quem não sabe negociar as riquezas não vai saber multiplicá-las também.

NÓS DEVEMOS TRABALHAR PARA ADQUIRIR RIQUEZAS, ADMINISTRAR PARA PODER MANTÊ-LAS E INVESTIR PARA PODER MULTIPLICÁ-LAS.

Para se construir riquezas é necessário paciência. Existem pessoas que acreditam que se fica milionário do dia para a noite e não entendem que deve se construir com paciência. Lembremos do texto de Provérbios (13:11): *"O dinheiro ganho com desonestidade diminuirá, mas quem o ajunta aos poucos terá cada vez mais."* Quem ajunta, aos poucos, terá cada vez mais. O pouco, no início, é uma lição de aprendizado. Precisamos ter paciência. Tomemos como exemplo o agricultor, ele deve ter paciência com a semente. Há todo um processo – planta a semente, rega, espera o sol, rega de novo, cuida contra invasores, até que aquela semente se desenvolve, amadurece e produz outros frutos. Isso leva tempo. Todo investimento em nossas vidas é exatamente assim. Não é do dia para a noite, mas uma construção. Se começamos a trabalhar com 20 anos e vamos trabalhar até os 60 anos, teremos 40 anos de trabalho. Se guardarmos, de pouco em pouco, nesses 40 anos, nossa aposentadoria pode ser bem mais tranquila. Afinal, nos planejamos para esse tempo, onde não há mais tanto vigor físico como na juventude para trabalhar.

Deus também não é contra o dinheiro, pois Ele usa o dinheiro para nos proteger. Nos proteger do frio, da fome, da vida cansada e enfadonha. Precisamos tratar isso de uma maneira espiritual. Um dos maiores benefícios que o dinheiro nos dá é em relação a qualidade de vida. Se construímos e investimos durante um tempo, depois de uma determinada estação, começamos a desfrutar disso.

O próprio Deus também usou o dinheiro para proteger o plano dEle para nós. Quantas pessoas precisam se corromper na sua caminhada por falta de dinheiro! Mesmo no ministério, pregadores, pastores, conferencistas, fecham seus ministérios por falta de recursos.

Eu tenho estado no ministério da pregação da Palavra há 35 anos e uma das coisas que o Senhor sempre me ensinou foi a lidar bem com dinheiro. Sabendo guardar e investir. Lembro de uma história, em uma cidade que fui ministrar a Palavra. Nessa ocasião, minha esposa e filhos foram comigo. Ao fim da ministração, o pastor nos levou para dormir em um hotel de beira de estrada, onde se faziam programas. Quando chegamos lá, falei que não ficaria naquele local de forma alguma. O Pastor questionou-me se eu não era humilde, posto que era o que ele conseguia pagar, ao que respondi que não era uma questão de humildade e, haja vista que nos levou a um lugar onde acontece prostituição. Falei que não iria ficar ali e pedi a ele qual era o melhor hotel da cidade. Ele me disse que não teria condições de pagar o melhor hotel, eu, imediatamente, disse que não precisava se preocupar porque eu iria pagar. A verdade é que eu não iria ficar naquele lugar, não por não ser humilde, e sim por uma questão de respeito. Eu tenho uma unção de Deus, eu não posso ficar refém de nada. Quem carrega a unção de Deus não pode ser refém de nada. Mesmo tendo sido convidado para ministrar, paguei todas as minhas despesas. Isso foi possível porque eu tinha dinheiro. E somente tinha porque eu administrava e cuidava bem das minhas finanças. Não podemos cair nas mãos dos homens. Temos, sempre, de estar preparados para situações assim. Quando cuidamos bem das finanças e não ficamos mais refém dos homens, podemos servi-los melhor. Podemos servi-los e não depender deles, porque nossa dependência é total do Senhor.

O dinheiro dado e multiplicado pelo Senhor a nós, em ação conjunta, nos protege. Não precisamos nos corromper para consegui-lo, e sim fazermos de maneira honesta e justa pelo trabalho. Não precisamos vender nosso ministério, nossa pregação, nosso chamado. Há muitas coisas vendáveis. Eu tenho produtos, tenho livros, cursos, pregações, essas coisas os homens podem comprar, contudo, o meu ministério não está à venda. A unção que as pessoas carregam não está à venda. Produtos que derivam do ministério estão, já o ministério em si não está e nunca deve estar. O nosso nível de domínio sobre o dinheiro revelará nossa devoção ao Senhor. Se somos dominados por dinheiro, nossa devoção a Deus está comprometida. Dentro do nosso chamado, nossa devoção, nosso chamado e nosso alvo deve ser sempre o Senhor. As riquezas só serão bênção de Deus em nossas vidas se elas estiverem no lugar que devem estar.

10

INVEJA EMPOBRECE

A inveja inverte os valores e faz com que amemos as coisas acima do que amamos a Deus.

O invejoso é ávido por riquezas, e não percebe que a pobreza o aguarda.

Provérbios 28:22

Deus nos ensina que podemos ter dinheiro, podemos ter posses, mas há uma maneira correta para fazer isso. Há uma maneira certa de conquistar riquezas dentro do padrão de Deus. Na citação acima, Deus nos adverte no tocante à destruição que a inveja pode causar.

1. A INVEJA INVERTE OS VALORES

Todo invejoso não ama a Deus, ama as riquezas. Se achega a Deus pelo que Ele pode dar, porém, nunca por quem Deus é. Esse é um dos grandes defeitos nossos como seres humanos: tentamos nos achegar a Deus por aquilo que Ele pode nos dar e não por quem Ele é. O princípio para nos achegarmos a Deus deve ser pelo simples fato dEle ser Deus. Não deve ser para escaparmos do inferno, e sim porque nascemos de novo nEle. Não estamos em Deus unicamente porque Deus pode nos dar boas coisas, no entanto, porque Ele é o nosso salvador. Nossa paixão e devoção devem ser voltadas a Deus pela experiência que temos com quem Deus é, e não pelas experiências com as coisas de Deus, afinal,

Deus é possuidor de todas as coisas e isso não deve ser o alvo da nossa adoração. A inveja começa invertendo esse valor em nosso coração.

A inveja faz com que vivamos a nossa experiência religiosa pautada no egoísmo das coisas que queremos ter. A Bíblia fala que os fariseus, os religiosos da época, eram invejosos em relação a Jesus, viam-nO fazer grandes maravilhas, milagres e multidões O seguindo, enquanto eles estavam vivendo a atividade religiosa de modo intenso, todavia, sem a graça para viver do modo que Jesus estava vivendo e fazer o que Jesus estava fazendo. Eles tinham uma atividade religiosa, entretanto, não tinham experiências com Deus e invejavam Jesus por isso.

A inveja inverte os valores e faz com que amemos as coisas acima do que amamos a Deus.

Que amemos os que as pessoas têm acima do que Deus pode nos dar.

2. A INVEJA FAZ COM QUE NOS TORNEMOS ESCRAVOS DAS RIQUEZAS

Pessoas invejosas nunca poderão governar sobre as riquezas. Elas são escravas. Viverão em busca de coisas que, talvez, nunca terão. Irão procurar algo que, talvez, nunca vão encontrar. Há pessoas que, por amarem tanto as coisas, acabam tendo falta de todas elas.

3. A INVEJA FAZ-NOS USAR PESSOAS AO INVÉS DE SERVI-LAS

A base dos relacionamentos no reino de Deus é o serviço. Não devemos manipular e usar as pessoas para nossos fins pessoais, devemos servi-las. Para Deus, as pessoas são mais importantes, sempre. O trabalhador é mais importante que o trabalho, o empresário é mais importante do que a empresa, assim sendo, usar as pessoas por causa de nossa inveja é abominável para Deus.

4. A INVEJA ELIMINA A PARTICIPAÇÃO NO REINO DE DEUS

Ora, as obras da carne são manifestas: imoralidade sexual, impureza e libertinagem; idolatria e feitiçaria; ódio, discórdia, ciúmes, ira, egoísmo, dissensões, facções e inveja; embriaguez, orgias e coisas semelhantes. Eu os advirto, como antes já os adverti, que os que praticam essas coisas não herdarão o Reino de Deus.

Gálatas 5:19-21

Esse texto não está falando de salvação, fala do Reino de Deus. A salvação é algo que Cristo conquistou pela obra que fez na Cruz do calvário. Já no Reino de Deus, somos chamados a viver de acordo com os padrões do Senhor. É uma forma de vida que aqueles que foram salvos devem viver. O Reino de Deus nos da a capacidade de viver na terra os princípios celestiais. Paulo, no texto que lemos, cita que a inveja é uma obra da carne, ou seja, não é somente um sentimento ou um pensamento, é algo colocado em prática na carne. Aqueles que praticam a inveja não herdarão o reino de Deus e não viverão os princípios que o Senhor dá para o seu povo viver sobre a terra.

Em termos conceituais, a inveja é desejarmos ter do outro aquilo que não conquistamos. Em relação a riquezas, Deus sempre quer que conquistemos, que vençamos e não que desejemos tomar dos outros aquilo que eles conquistaram.

O rancor é cruel e a fúria é destrutiva, mas quem consegue suportar a inveja?

Provérbios 27:4

Reflitamos: Em que patamar de destruição e morte a Bíblia coloca a inveja? O rancor e a fúria são destrutivos, sem embargo, a inveja, ninguém consegue suportar. Se não cuidarmos do nosso coração e mantê-lo em Deus, rapidamente começaremos a desejar e ansiar pelo que os outros têm. Vamos querer o que os outros conquistaram ao invés de entender aquilo que o Senhor colocou em nossa mão e viver e enriquecer dentro da nossa vocação. Isso é tão terrível que acabaremos feridos por causa do sucesso dos outros. Não conseguiremos suportar que outras pessoas vençam. A verdade é que Deus quer que conquistemos também, que vençamos e que sejamos plenos com aquilo que temos. Se não cuidarmos, nosso coração pode ser sucumbido pela inveja.

5. A INVEJA FECHA A PORTA PARA AS PROVISÕES DE DEUS

Tiago, que é um dos apóstolos que traz as repreensões mais duras do Novo Testamento, escreve as seguintes palavras:

Vocês cobiçam coisas, e não as têm; matam e invejam, mas não conseguem obter o que desejam. Vocês vivem a lutar e a fazer guerras. Não têm, porque não pedem. Quando pedem, não recebem, pois pedem por motivos errados, para gastar em seus prazeres.

Tiago 4:2,3

A inveja é uma condição para que as portas de Deus sejam fechadas para nós. As portas das provisões de Deus são cerradas para alguém que tem um coração invejoso. A inveja nos impede de receber aquilo que é nossa herança por direito. A pessoa pode ter uma vida de oração intensa, a inveja impede de receber. Temos que perguntar a nós mesmos e sondar nosso coração para ver se não há inveja impedindo que prosperemos. "Será que eu tenho inveja das pessoas que são bem-sucedidas e realizadas ao meu redor? Será que o sucesso delas me faz mal?" Se o sucesso das pessoas perto de nós está incomodando, provavelmente nosso coração está tomado de inveja.

As coisas estão invertidas. As pessoas têm vivido sobre os padrões mundanos e não sobre os padrões de Deus. Elas estão alienadas e presas a um padrão de vida que não é o do Reino de Deus. A inveja torna o nosso coração mundano e um coração mundano é o que tem prazer nas mesmas coisas que o mundo tem prazer. Um cristão verdadeiro e genuíno, que vive sob o padrão do reino de Deus, não deve buscar e amar os mesmos prazeres que estão no mundo. A inveja faz tornarmo-nos inimigos de Deus e amigo do mundo. O diabo caiu da sua posição porque, quando olhou para Deus, invejou quem Deus era. A inveja faz-nos perder até posições mais elevadas.

QUANDO DESEJAMOS O QUE OS OUTROS CONQUISTARAM, NOSSO CORAÇÃO SE ASSEMELHA AO CORAÇÃO DO DIABO.

Podemos estar em um alto lugar em Deus, mas a inveja pode tirar-nos desse lugar.

Como saímos disso? Como vencer esse pecado?

Quando a luz da Palavra de Deus chega ao nosso coração e somos confrontados com comportamentos de inveja, devemos, acima de tudo, nos arrepender. A Palavra e a consciência de nossos pecados nos tiram desse lugar de morte e pobreza. O pecado significa errar o alvo. É quando corremos em direção contrária à de Deus. A inveja faz com que fiquemos alienados das promessas de Deus porque estamos desejando tanto a conquista do outro que não paramos para ver como Deus quer que tenhamos as nossas próprias. Estamos errando o alvo completamente, isto é, ao invés de olhar para as conquistas que podemos ter em Deus, olhamos para a conquista que Deus promoveu para o outro. Esse pecado precisa ser tratado em nosso coração, dado que impede a entrada de riquezas em nossas vidas.

Quem esconde os seus pecados não prospera, mas quem os confessa e os abandona encontra misericórdia.

Provérbios 28:13

Se estamos vivendo momentos de inveja, precisamos nos arrepender e confessar. Isso é muito simples de se perceber se dermos a devida atenção. O que espera o invejoso é pobreza. O invejoso nunca prosperará. Se identificarmos esse pecado no nosso coração, carecemos de arrependimento, confessar e deixar sermos tocados e transformados pelo Senhor, para que sejamos colocados na direção certa, que é na direção das riquezas de Deus. Saiamos desse lugar de inveja e uma nova estação se abrirá. Celebremos o sucesso dos outros, a bênção de Deus na vida do outro e caminhemos dentro daquilo que o Senhor tem para nós. Porquanto, o mesmo Deus que prosperou e abençoo o outro, pode prosperar e abençoar-nos. E não só pode, como é o propósito dEle em nossa vida.

Deus dá-nos condição de criar riquezas com aquilo que fazemos, com o nosso trabalho, com nossas capacidades, dons e talentos. Os irmãos de José tiveram inveja dele, por isso o venderam como escravo. A Bíblia diz que Deus era com José. Quem foi que prosperou ao fim dessa história? José. E os irmãos chegaram a ponto de quase passar fome, chegaram até José para pedir alimento. Quando se arrependeram do que fizeram a José, puderam ser participantes da prosperidade que Deus havia dado a José, no Egito. Então, não esqueçamos: A inveja empobrece. Porém, o arrependimento genuíno, em Cristo Jesus, abre portas para que nos tornemos prósperos dentro da bênção de Deus para conosco.

11

MÁ GESTÃO TRAZ FALÊNCIA

O recurso sempre foi provisionado pelo Senhor. Mas isso não nos isentou de administrar.

Se as riquezas se perdem num mau negócio, nada ficará para o filho que lhe nascer.

Eclesiastes 5:14

Esse versículo fala sobre as saídas e a relação com a vida. Precisamos entender sobre o mal gerenciamento, sobre as saídas da vida. Quando temos uma riqueza na mão e por má administração ela se perde, ficaremos sem bens e sem herança.

Eu não sei se você já passou por alguma falência financeira, mas eu já passei, ainda quando morava na casa do meu pai. Ele passou por uma falência financeira, situação horrível de se passar como família. Em razão disso, costumo dizer que a pessoa que passa por uma falência é muito pior do que uma pessoa que tem falta de todas as coisas, pois quem passa por uma falência financeira vive em dois ambientes, o de ter tudo e o de ter nada, e isso pode gerar uma série de transtornos.

Deus nos ensina, por toda palavra, a sermos bom administradores, se não soubermos administrar nas pequenas coisas, Deus não nos colocará nas grandes. Alguns esperam o muito para administrar, mas é no pouco que se chega ao muito. O quanto nos esforçamos para aprender sobre a economia? Ou achamos que Deus vai abençoar sem o nosso esforço, sem querermos aprender sobre isso? O quanto nos envolvemos com a palavra de Deus nesse assunto?

Umas das perguntas que mais recebemos, atualmente, é que como existem pessoas que, mesmo ofertando e dizimando, não prosperam? Muitas pessoas atribuem que todo o resto do cuidado é Deus que deve fazer. O dízimo e a oferta são princípios e fundamentos, contudo, necessitamos ser bons administradores do valor que fica em nossas mãos. Por toda a palavra, Deus ensina sobre a administração. Quando conhecemos uma verdade sobre o assunto, Ele nos liberta, a Bíblia assevera: "Conhecereis a verdade e a verdade vos libertará". (Jo 8:32). A primeira coisa que nós precisamos compreender na mordomia é que Deus condena a má administração, Deus não gosta da má administração, em algumas parábolas, pede contas e usa muito a área de finanças para ensinar sobre como as pessoas devem ser responsáveis com aquilo que recebem.

Cumpria, portanto, que entregasse o meu dinheiro aos banqueiros, e eu, ao voltar, receberia com juros o que é meu. Devias, então, ter dado o meu dinheiro aos banqueiros, e, quando eu viesse, receberia o que é meu com os juros.

Mateus 25:27

Nessa parábola, o senhor volta e pede conta, assim como o Senhor vai nos cobrar sobre o que fizemos com aquilo que Ele nos deu. Se pediu para fazermos algo na Terra é porque Deus também tem a condição de suprir o que precisamos para cumprir isso.

Trabalhei muitos anos como evangelista ao redor do mundo, fizemos muitas cruzadas, gastávamos muito dinheiro, algumas cruzadas custaram em torno de cem mil reais ou mais. E eu não poderia dizer para Deus que gostaria de ter feito mais, porém, não fiz porque as pessoas não me ajudaram. Obviamente, Deus chegaria e dir-me-ia que se ele me comissionou para fazer alguma coisa, produziria o recurso, e o problema poderia ter sido eu que não soube administrar como deveria. A realidade é que nunca nos faltou.

O RECURSO SEMPRE FOI PROVISIONADO PELO SENHOR. MAS ISSO NÃO NOS ISENTOU DE ADMINISTRAR.

Deus não gosta da má administração, abomina a má administração. Com as pessoas, o seu amor é incondicional, em relação as atitudes, não. Agora, se Deus não gosta da má administração, supõe-se que Ele ama a boa administração, que se agrada de bons mordomos. Então, naquilo que Deus colocar em nossas mãos, vamos precisar exercer uma boa mordomia.

A Bíblia diz que Davi era segundo o coração de Deus, uma vez que Davi também era um multiplicador. De um pequeno cuidador de ovelhas, tornou-se um dos homens mais ricos do mundo.

Outro exemplo que podemos analisar é de quando Jesus esteve na Terra e multiplicou peixes e pães, e alimentou pessoas. O coração de Deus é a multiplicação, e como mordomo, precisamos aprender a multiplicação. É crucial aprendermos a administrar nossos ganhos, nossos salários, nossos gastos, administrar aquilo que Deus coloca na sua mão.

A boa administração produz uma boa medida. Produziremos coisas boas para nosso coração e produziremos uma boa medida, teremos riquezas para nos envolver no reino de Deus. Quando administramos bem, não passaremos em branco aos chamados que Deus dá. Entendemos que um bom administrador deixa uma herança aos seus filhos, um bom administrador vai deixar uma herança para seus herdeiros.

Busquemos, assim, um lugar em Deus para ser um bom administrador das riquezas que nos confiou. Muitas vezes, o que ganhamos não é tudo o que Deus confiou-nos, mas sim o início de muitas coisas que ainda estão além. Por esse motivo, quando administramos adequadamente, não trabalharemos só com as circunstâncias atuais, trabalharemos também com a visão de Deus, que é sempre além e maior que a nossa. Há coisas muito grandes para a nossa vida que nem imaginamos. Devemos buscar um lugar em Deus para sermos bons administradores nas pequenas coisas, valorizarmos as pequenas moedas, as pequenas conquistas e veremos que um bom administrador gera muitas riquezas enquanto a má administração gera falência que vai nos afetar e as próximas gerações.

12

RIQUEZAS SEM PROPÓSITO LEVAM A DESTRUIÇÃO

Responsabilidade social é um dos propósitos de enriquecermos.

E direi a mim mesmo: "Você tem grande quantidade de bens, armazenados por muitos anos. Descanse, coma, beba e alegre-se".
Contudo, Deus lhe disse: "Insensato! Esta mesma noite a sua vida lhe será exigida. Então, quem ficará com o que você preparou?"
Assim acontece com quem guarda para si riquezas, mas não é rico para com Deus.

Lucas 12:19,20,21

De tudo que conquistamos daremos conta um dia, assim como é certo que nascemos, é certo que um dia morreremos. Não é sobre ganhar dinheiro, é sobre como vamos nos comportar diante do dinheiro. Ao passo que Deus nos prospera, não podemos ter como meta ou objetivo apenas mudar e elevar nosso padrão de vida. Se esse for nosso único objetivo para ganhar riquezas, poderemos estar numa derrocada de destruição.

Lembro-me que quando casei e tínhamos muitas dificuldades financeiras, não tínhamos nada, nem móveis para nossa casa. Ao longo de tempo, fomos conquistando, crescendo e, à medida que fomos ganhando riquezas, nossa qualidade de vida foi melhorando, compramos casa, carro e aumentamos nosso padrão de vida. No entanto, é necessário aprendermos que além de melhorar o padrão de vida, quando se aumentam as riquezas, também é importante aumentarmos nosso nível de propósito quanto aos recursos. Se aumenta o nosso nível de riqueza, deve aumentar o nível de doações, o nível de importância que damos aos necessitados, por exemplo. Muitas pessoas aumentam seu padrão de vida, todavia, não aumentam seu padrão de contribuição no Reino, e passam a vida sem participar de um projeto divino, sem deixar um legado que realmente vale a pena.

Precisamos ter um propósito para nossas finanças. Um bom propósito, uma boa medida, uma boa herança e um legado de envolvimento dos nossos recursos com o reino de Deus.

Quantas pessoas que enriquecem e se esquecem de Deus, esquecem que habitam em um mundo social e que se está prosperando, deve ter responsabilidades sérias com isso. Sempre achamos que tudo que Deus fala é para os outros, mas Deus está falando conosco sobre as responsabilidades sociais, os propósitos sociais de nossos recursos. Isto tem a ver com o que devemos fazer e como podemos ajudar as pessoas que estão necessitadas no mundo inteiro.

RESPONSABILIDADE SOCIAL É UM DOS PROPÓSITOS DE ENRIQUECERMOS.

Acredito que você já deve ter ouvido aquela linda história do beija-flor que viu um incêndio na floresta e jogava água com o bico na tentativa de apagar o fogo. Um macaco, observando as suas idas e vindas pegando água disse a ele: "Você não vai conseguir apagar o fogo apenas com o seu bico, é inútil". Ao que o beija-flor, rapidamente, respondeu: "Eu não sei se irei conseguir apagar o fogo com meu bico, mas, pelo menos, estou dando minha contribuição e fazendo aquilo que está ao meu alcance". Isso pode acontecer quando vemos toda a tragédia que há no mundo. A pobreza, a desigualdade, a fome. Será que estamos dando a nossa contribuição? Precisamos ter propósito nas nossas questões financeiras, não porque vamos resolver todos os problemas do mundo, e sim porque estaremos certos, em nossa consciência, de que estamos fazendo a nossa parte. E isso também tem a ver com galardão. Precisamos construir galardões com as riquezas que Deus nos dá.

É indispensável nos perguntarmos: O que é importante para Deus? Muitas coisas têm relevância para nós e para Deus não. O que é relevante para Deus são as almas, e é por esse motivo que somos muito mais importantes para Ele do que as coisas que conquistamos até aqui. Ambientes religiosos, por vezes, invertem isso, e destroem vidas de pessoas. Para Deus, sempre o ser humano é mais importante que as instituições e as coisas físicas. Jesus morreu por nós, para restaurar nossas vidas, e nós somos importantes para Deus, os outros também são. Os menos favorecidos também são. Os pobres, necessitados, são tão amados por Deus quando nós. O que estamos fazendo para aliviar o fardo deles?

Qual a maior vontade de Deus? Que todos sejam salvos. E não somente salvos do inferno, mas salvos em vida. Salvos da pobreza, da miséria, desigualdade e da fome.

Então Jesus passou a contar ao povo esta parábola: Certo homem plantou uma vinha, arrendou-a a alguns lavradores e ausentou-se por longo tempo.
Na época da colheita, ele enviou um servo aos lavradores, para que lhe entregassem parte do fruto da vinha. Mas os lavradores o espancaram e o mandaram embora de mãos vazias.
Ele mandou outro servo, mas a esse também espancaram e o trataram de maneira humilhante, mandando-o embora de mãos vazias.

Enviou ainda um terceiro, e eles o feriram e o expulsaram da vinha.
Então o proprietário da vinha disse: 'Que farei? Mandarei meu filho amado; quem sabe o respeitarão'.
Mas quando os lavradores o viram, combinaram entre si dizendo: 'Este é o herdeiro. Vamos matá-lo, e a herança será nossa'.
Assim, lançaram-no fora da vinha e o mataram. O que lhes fará então o dono da vinha?
Virá, matará aqueles lavradores e dará a vinda a outros. Quando o povo ouviu isso, disse: 'Que isso nunca aconteça'!

Lucas 20:9-16

Como Igreja de Jesus, não somos donos nem da riqueza que Deus nos deu, tudo que Deus nos deu aqui, na terra, é um arrendamento. A Bíblia afirma que Deus deu a vida, e Deus a pega de volta. Deus vai nos dar a condição de arrendar a oportunidade de manipular riqueza, entretanto, ela não é nossa. Ela é para servir as pessoas. Deus é dono do mundo, dono das coisas, dono de todos, e nós vamos responder por todas essas riquezas que Deus nos arrendar. Vamos prestar contas se usamos nossa prosperidade para melhorar a vida das pessoas que mais precisam. Precisamos nos dar conta de como estamos cuidando do que Deus nos deu. Somos responsáveis pelas coisas que Deus nos deu e oportunizou para nós, e um dia iremos acertar todas essas riquezas e todas as possibilidades que Ele disponibilizou a nós nessa terra. Deus vai cobrar do mundo tudo que foi feito de ruim, de como nós usufruímos do mundo, quanta poluição causamos, quantas coisas deixamos de fazer e deveríamos ter feito, quantas famílias poderiam tem vivido melhor se não fossemos tão avarentos.

Entendamos: Temos um propósito e que em tudo que Deus nos deu há, também, uma oportunidade de darmos a outro.

Não poderemos chegar ao céu e dizer que vivemos nossa vida da maneira que queríamos e que não administramos o que Deus nos deu da maneira que deveríamos.

QUANDO ACORDAMOS PELA MANHÃ, PRECISAMOS TER PROPÓSITO. NOSSO TEMPO PRECISA TER PROPÓSITO, NOSSO TRABALHO PRECISA TER PROPÓSITO, NOSSO CASAMENTO CARECE DE PROPÓSITO E, COM CERTEZA, NOSSO RECURSO TAMBÉM.

Riqueza sem propósito pode se tornar uma tragédia. Riquezas que não servem aos outros são uma tragédia. Riquezas que não se envolvem em questões humanitárias sociais são uma tragédia.

Do ano 2021 a 2030 são 10 anos, é uma estação que Deus está abrindo – lembremos dessa palavra como uma profecia sobre nossa vida. Essa, certamente, será uma das décadas mais importantes na história, uma década para Deus trazer avivamento no mundo. Deus vai usar-nos e Deus quer que sejamos um homem e uma mulher ainda mais prósperos, santos e generosos. Essa década será de oportunidades de riquezas, de tesouros escondidos se revelarem. Deus quer que prosperemos, contudo, entendendo que não tem relação unicamente conosco e com os nossos, há o propósito de Deus envolvido.

Antes de termos um padrão de vida elevado, tenhamos uma vida elevada com Deus. Uma vida elevada em Deus é uma vida que se doa pelo outro. Não pensemos apenas em nós mesmos, e sim no propósito que Deus tem através de cada um de nós.

13

DESOBEDIÊNCIA TRAZ ESCRAVIDÃO FINANCEIRA

A desobediência é um pecado, e o pecado é um erro de condução.

O que a Bíblia fala sobre isso? O que a desobediência traz em relação as nossas finanças? O que ela promove em nossa vida financeira?

Vamos analisar o texto de Deuteronômio 28:43:

Os estrangeiros que vivem no meio de vocês progredirão cada vez mais, e cada vez mais vocês regredirão. Eles lhes emprestarão dinheiro, mas vocês não emprestarão a eles. Eles serão a cabeça, e vocês serão a cauda.

Deuteronômio 28:43,44

Todo cristão deveria ler o capítulo 28 de Deuteronômio, pois fala referente às bênçãos e às maldições em cima do tema obediência. Deus estava falando com Israel, o seu povo, hoje, nós, como Igreja, somos o Israel de Deus e, deveras, isso deve falar ao nosso coração também. O relacionamento de Deus não é mais somente com Israel através da lei, é com a sua igreja através da graça. A lei vigorou até João Batista. Jesus inicia uma nova era. A Aliança de lei precisa morrer para que Deus possa ter uma nova aliança com o seu povo. O relacionamento de Deus com o seu povo, agora, é pelo caminho da graça e mediante a fé. A aliança mudou – os princípios não. Os princípios continuam os mesmos.

À vista disso, temos que usar esse texto para entender sobre a obediência e a desobediência. Deus fala que se o povo ouvir a voz dEle e obedecer, uma série de bênçãos viria sobre eles, da mesma forma que, se desobedecessem, viveriam as consequências. Quando vamos para o início de tudo, com Adão e Eva, vemos a consequência da desobediência deles diretamente em tudo que desfrutavam. Eles tinham tudo, não precisavam plantar, podiam desfrutar de tudo que Deus havia preparado, por causa da desobediência, uma das primeiras coisas que vem como consequência disso é que teriam que, do suor do seu rosto, comer o seu pão. Se pelo primeiro Adão entrou a desobediência e o pecado, pelo segundo Adão, Jesus, veio a salvação. O primeiro Adão é uma alma vivente, enquanto o segundo é um espírito vivificador. A desobediência sempre vai gerar consequências e obediência trará bênçãos.

Mas que consequências a desobediência traz para nós? Deus vai amar-nos menos ou mais dependendo da nossa obediência? Não, o amor de Deus é igual para com todos. Mas mesmo Deus nos amando, não nos impede de viver as consequências de nossos atos. O amor de Deus não muda, porém, a nossa atitude em relação a esse amor, essa, sim, muda. As atitudes individuais é que vão delinear o avanço do Reino e o desfrutar das bênçãos de Deus.

A DESOBEDIÊNCIA É UM PECADO, E O PECADO É UM ERRO DE CONDUÇÃO. É UM DESALINHAMENTO COM A VONTADE DE DEUS. PECAR NÃO É SÓ ROUBAR, MATAR E DESTRUIR; O PECADO É ESTAR DESALINHADO COM A VONTADE DE DEUS.

O pecado tira o Norte, e nós precisamos nos analisar se estamos ou não a cada dia caminhando como Deus quer que caminhemos. Essa consciência deve gerar arrependimento em nós. A desobediência faz com que fiquemos sem norte e sem rumo.

Eu sempre repito, de forma pedagógica, que li um livro, o qual me impactou muito, sobre como eu deveria organizar as minhas finanças, e isso me fez ver que eu estava em total desobediência. Precisei me arrepender e mudar.

Pensemos na seguinte pergunta: "Por que, muitas vezes, o povo do mundo, do sistema, é mais abençoado que os crentes?" A passagem bíblica acima diz que os cristãos é que deveriam emprestar e não tomar emprestado. Nós deveríamos ser os que mais desfrutam por estar na nova aliança. Nós, hoje, vivemos a melhor aliança. Tudo isso foi conquistado por Jesus no calvário. Fomos comprados para viver em um ambiente de aliança, mesmo assim, muitas vezes, vemos as pessoas do mundo abençoadas enquanto nós estamos estagnados. Isso pode ser por causa da nossa desobediência. Muitos de nós estamos estagnados.

Sempre recomendo muito que as pessoas leiam o livro de Provérbios, é o livro de sabedoria. Perceberemos que cada erro da nossa vida foi cometido por falta de acessar essas páginas de sabedoria e colocar em prática aquilo que devia ser aplicado. Em várias situações, agimos com tolice em relação às nossas finanças, e vemos o ímpio prosperar. As pessoas que estão no mundo já estão perdidas, no entanto, nós, temos uma responsabilidade de vivermos a instrução da Palavra de Deus conhecendo-a completamente. Eles não têm a obrigação de seguir esses princípios; nós temos, somos filhos de Deus, e filhos de Deus devem ser obedientes.

Quantas vezes mais tomamos emprestado do que emprestamos, e nós é que deveríamos ter para emprestar. A maioria dos crentes toma tanto emprestado que tudo que se vende à prestação, eles compram. Quem deveria ter dinheiro nos bancos para emprestar eram os cristãos. Precisamos compreender a obediência à Palavra de Deus como fundamental para a nossa prosperidade. Para entendermos a importância da obediência a Deus precisamos, primeiro, aprender a ouvir a Deus. Devemos estar abertos para ouvir. Não o que queremos ouvir, mas o que Deus quer falar. Notemos uma criança: quando ela é desobediente, falamos diversas coisas para ela e é como se não ouvisse. Nós somos assim em relação a Deus, até o ouvimos, todavia, não obedecemos, passa por nós. Segundo, precisamos conhecer a vontade de Deus e sermos atentos. Um exemplo clássico: não atravessamos uma rua sem olhar, prestar atenção e ouvir os barulhos. Se não fizermos isso, uma tragédia pode acontecer. Assim também é andarmos com Deus sem atenção. Muitos cristãos vivem como crentes que se deixam levar pela vida, e deixam de estar atentos ao que Deus está dizendo e fazendo. Precisamos fazer uma reflexão pessoal: "Senhor, será que eu estou ouvindo a sua voz e te obedecendo?" "Será que eu estou com o norte de vida correto, ou tenho cometido deslizes pequenos que, lá na frente, podem gerar problemas grandes?"

Por isso, precisamos nos arrepender da nossa desobediência, jamais conseguiríamos fugir da presença do Senhor. Desobedecer é fugir da vontade de Deus, e fugir dessa vontade sempre nos fará viver a vontade de outro. Evitemos tragédias em nossa vida financeira, ouçamos e obedeçamos a voz de Deus, nos arrependamos dos erros e desobediências. Deus sempre está pronto para nos perdoar. A Bíblia diz que o sangue de

Jesus derramado é poderoso para nos purificar de todo o pecado. Às vezes, precisamos é de ações simples, que nos orientem para o caminho certo. Deus queria que Israel, ao sair do Egito, perdesse toda aquela cultura egípcia dentro do coração e o Senhor os deixou no deserto em função disso. Um caminho de 40 dias, no qual poderiam aprender, se tornou de 40 anos e não conseguiram entrar na terra prometida porque endureceram o seu coração. Nós precisamos estar prontos para ouvir e obedecer ao Senhor, se obedecermos, às bênçãos da obediência dos primeiros 14 versículos de Deuteronômio 28 cairão sobre nós e estaremos alinhados com a vontade de Deus.

14

SEM SABEDORIA O DINHEIRO NÃO TEM VALOR

Mesmo na crise aqueles que bebem da sabedoria de Deus dão fruto.

De que serve o dinheiro na mão do tolo, já que ele não quer obter sabedoria?

Provérbios 17:16

O dinheiro é referência para dar valor as coisas. Todas as coisas têm um preço. Tudo o que é vendável tem um preço. Nesse ponto, precisamos entender algo. Deus não é comprável. Deus serve de referência para dar valor a você. Assim como o dinheiro é uma referência para valorizar as coisas, Deus é a referência para nos valorizarmos como pessoa. Por que isso? Porque a Bíblia assegura que o preço mais alto foi pago por cada um de nós. Nunca nos comparemos a nada nessa vida, não há como nos compararmos a nada desse mundo, Jesus não morreu por coisas, morreu por nós e pagou um alto preço. Nunca devemos comparar nosso status financeiro com o nosso valor. Deus não negocia aquilo que ele tem de mais precioso, que somos nós. Temos que partir desse princípio.

Nesse texto, a Bíblia está nos dizendo que precisamos ter sabedoria, não podemos ser tolos. O dinheiro na mão do tolo não serve para nada – a sabedoria é importante. E eu volto a dar o conselho: Ler o livro de Provérbios. São 31 capítulos, é tão rápido para ler, tão lindo, tão contemporâneo, tão revolucionário. Ao ler Provérbios, veremos que, dentre diversos erros que comentemos na vida, foram por não ter contato com aquela sabedoria antes. Assim como o Apocalipse é um livro de revelação e todo crente deveria ler, posto que há uma bênção especial para quem o lê, e existe um ambiente de sabedoria para quem lê e medita no livro de Provérbios. Em um mês, lendo um capítulo por dia, conseguiremos ler o livro todo. É muito ensinamento, muita instrução vinda direto de Deus.

Como é feliz o homem que acha a sabedoria, o homem que obtém entendimento.

Provérbios 3:13

Feliz, bem-aventurado, próspero, bem-sucedido, vem da origem hebraica Shalom. O que Deus está dizendo é que aquele que acha a sabedoria é abençoado por completo, em todas as áreas da sua vida. Acompanhemos o Salmo 1:

Como é feliz aquele que não segue o conselho dos ímpios, não imita a conduta dos pecadores, nem se assenta na roda dos zombadores!
Ao contrário, sua satisfação está na lei do Senhor, e nessa lei medita dia e noite. É como árvore plantada à beira de águas correntes: Dá fruto no tempo certo e

suas folhas não murcham. Tudo o que ele faz prospera! Não é o caso dos ímpios! São como palha que o vento leva. Por isso os ímpios não resistirão no julgamento, nem os pecadores na comunidade dos justos. Pois o Senhor aprova o caminho dos justos, mas o caminho dos ímpios leva à destruição!

Salmos 1:1-6

São três conselhos que Deus dá para alguém que quer ser bem-sucedido. Não seguir o conselho dos ímpios, não imitar a conduta dos pecadores e nem se assentar na roda dos zombadores. O que significa cada uma delas? Não seguir o conselho dos ímpios é não andar em tudo aquilo que não é a Palavra de Deus. Quanto tempo gastamos ouvindo a informação que vem da televisão? Que nos amedronta, engana, orienta mal sobre família, finanças, sobre moral? Isso é ouvir o conselho dos ímpios. Quando, todos os dias, nos submetemos 30 a 40 minutos a um jornal que vai apenas jogar medo, falsas notícias e falsa instrução, estamos nos enchendo do conselho dos ímpios, nos enchendo de tudo o que não é da Palavra de Deus. Sempre iremos colher aquilo ao que nos submetemos. A Bíblia está sendo clara. Não devemos seguir o conselho dos ímpios nem nos determos no caminho dos pecadores, imitando a conduta deles, e nem nos assentarmos nessa roda de mentiras. A Bíblia explica que, antes, essa pessoa que é feliz, tem o seu prazer na lei do Senhor. É importante, para sermos bem-sucedidos, não fazer essas três coisas e, sim, fazer uma. Aqui, cabe uma reflexão pessoal: "Quanto tempo passamos por dia com a Palavra de Deus?" "Que tipo de ambiente de conhecimento enche o nosso coração?" "Que resultado isso produz em nossa vida?" "Precisamos pensar de que maneira temos lidado com as nossas finanças, com sabedoria ou com tolice?

O verso três diz que aquele que medita na Palavra do Senhor é como uma árvore, plantada junto a ribeiro de águas que dá o seu fruto na estação correta. A água, de Gênesis a Apocalipse, representa duas coisas: A Palavra e o Espírito de Deus. Aquele que se envolve com a Palavra de Deus terá a sabedoria do Senhor e as suas raízes não estão firmadas na economia do mundo, pois, mesmo quando o mundo entre em crise, essa pessoa está firmada sobre a Palavra de Deus.

Mesmo na crise aqueles que bebem da sabedoria de Deus dão fruto.

Mesmo na crise, podemos ser vencedores se estivermos firmados na sabedoria de Deus, e sermos plantados junto à Palavra e ao Espírito de Deus. Mesmo na crise, frutificaremos, pois, a instrução que recebemos é maior do que o mundo. Tudo o que uma pessoa assim coloca a mão, tudo o que ela fizer, prosperará.

Pensemos: Por que não vamos bem em algumas áreas da nossa vida? Há pessoas que não vão bem no casamento, cheios de problemas, marido culpa esposa, esposa culpa o marido, mas o que eles estão ouvindo? Onde eles estão firmados? Da mesma forma, as finanças. Pessoas que não vivem bem com suas finanças estão firmadas onde? Recebem sabedoria de onde? Quantos cristãos são extremamente machucados na área de finanças porque ouvem os conselhos do mundo? Precisamos fazer algumas reflexões para termos mudanças. Se fazemos as mesmas coisas sempre, por que esperamos resultados diferentes?

Uma das coisas que comecei, a partir de 2020, quando iniciou a crise financeira devido a pandemia da COVID 19, decidi não mais assistir televisão. Estava em casa, não tinha mais convites para pregar, poderia gastar horas e horas assistindo o que eu quisesse. Contudo, decidi buscar um lugar de sabedoria em Deus, uma estratégia em Deus. E 2020, apesar de todos os desafios, foi um dos anos que mais fomos abençoados financeiramente. Foi um tempo que muitos recursos entraram, milagres e mais milagres aconteceram, e não temos nem como explicar!

Precisamos refletir, parar e estruturarmos as nossas vidas segundo o conselho de Deus.

Meus filhos cresceram, em sua adolescência, nos EUA. E crianças, geralmente, não sabem o valor das coisas. Eles iam para a escola, ganhavam dinheiro para o lanche e tudo mais. Nos EUA, há muitas moedas para essas coisas pequenas. Havia uma moeda de centavos pequena, que somente ela em si não tinha valor nenhum. Meus filhos pegavam aquelas moedinhas e nem davam valor, jogavam nos bolsos das calças. Um dia, minha esposa pegou um cofrinho e começou a jogar todas aquelas moedinhas lá. Chegou um momento que havia muitas daquelas moedas lá, na casa dos milhares. Aquela moedinha que não tinha valor nenhum, agora, poderia comprar algo que precisávamos, porque, em quantidade, elas tinham um valor. O pouquinho que Deus coloca em nossas mãos, muitas vezes, pensamos que não tem valor nenhum, mas tem e nós precisamos ser sábios para administrar isso. Há pessoas que pensam que só administrarão quando tiverem muito, isso é errado. Temos que começar a administrar quando tivermos pouco para que saibamos administrar quando tivermos no muito.

Uma das histórias mais bonitas da Bíblia é a história de Salomão. Quando Davi, seu pai, transferiu a ele a responsabilidade de governar sobre Israel, ele era apenas um moço. Davi era um homem experiente, Salomão apenas um menino. Salomão não sabia como gerir Israel, em razão disso, pede a Deus sabedoria para poder governar. E, por ele ter pedido sabedoria, o Senhor deu muito mais, deu honra, fama, riquezas. A sabedoria era o motivo dele poder alcançar outras coisas como riquezas e honra. Salomão foi o homem mais rico que já existiu, entretanto, sempre, o mais importante para ele, era a sabedoria. Em Eclesiastes, no fim da sua vida, ele diz que o mais importante é amar e temer a Deus. Com a sabedoria vamos longe. Com sabedoria podemos viver em um ambiente de riquezas e prosperarmos cada vez mais. Que possamos deixar a Palavra de Deus encher nosso coração com a sabedoria dEle e construiremos riquezas e mais riquezas para abençoar nossa casa, nossa vida, nossos filhos e nosso legado.

15

INVEJOSO OU GENEROSO

A inveja é uma deformidade no caráter.

Não tenho o direito de fazer o que quero com o meu dinheiro? Ou você está com inveja porque sou generoso?'

Mateus 20:15

Em qual desses desenhos estamos atuando? Como invejosos ou como generosos? Nesse texto, Jesus está contando uma parábola em relação ao reino de Deus. A parábola trata de um homem que contratou pessoas para trabalharem com ele o dia todo por tal salário. Durante o dia, foram chegando trabalhadores e ele foi contratando outras pessoas para também fazerem parte daquela obra. Imaginemos que o valor da diária era 100 reais. Algumas pessoas chegaram de manhã, outras no meio-dia, outro chegou às 5 horas da tarde. Quando chegou a hora do pagamento, pagou todos de igual forma. Aquele que entrou mais cedo e trabalhou o dia inteiro não gostou, pois aqueles que tinham chegado depois receberam da mesma maneira, e foi reclamar. A questão é que ele recebeu o justo pagamento. O seu senhor havia combinado tal salário com ele e o pagou. O senhor deu um pagamento exatamente de acordo com o combinado. Ele não saiu lesado. Quero introduzir esse conselho com essa história para nós percebermos o poder da inveja nas pessoas. O invejoso sempre se acha injustiçado. Injustiçado com as políticas de governo, com a família, com o sucesso dos outros. Logo, podemos fazer uma reflexão pessoal: "Como eu me sinto em relação ao sucesso dos outros?" "Eu celebro, aplaudo o sucesso dos outros ou isso me provoca sentimentos ruins?" Isso é muito comum no ministério. A geração mais velha tendo dificuldade de lidar com a geração mais nova, que vem cheias de dons e talentos e que podem viver coisas ainda maiores do que a geração mais velha viveu. Muitas vezes, os mais antigos acabam, por um sentimento de inveja, não aceitando isso tão facilmente.

A INVEJA É UMA DEFORMIDADE NO CARÁTER. O INVEJOSO VÊ O SEU FRACASSO NO SUCESSO DOS OUTROS.

O caráter do invejoso remete ao caráter do diabo. Isso é muito terrível, mas é a realidade. É o diabo que planta essas sementes no coração, da inveja, da cobiça do que o outro tem. Pessoas invejosas nunca são felizes com o sucesso dos outros e jamais conseguirão atingir o próprio sucesso.

Todo invejoso é possessivo e abusador. Tenta manipular, mandar, governar sobre os outros. O invejoso sempre tenta diminuir a conquista do outro, tenta desclassificar o outro. O ponto é que o invejoso nunca se sente recompensado. Sabe aquela pessoa que nunca se sente recompensada, mesmo que recebeu o que deveria receber de forma justa, sempre se acha explorado, sempre acha que não ganha o suficiente, reclama disso com Deus, com os amigos, com o patrão e com todo mundo. Isso é um problema sério. O invejoso também revela a ingratidão do coração. Podemos fazer pouco ou muito pelo invejo e ele sempre continuará ingrato. O homem da parábola poderia ter sido grato ao senhor por ter exatamente pago o que foi combinado, porém, não foi o que ele fez. Poderia ter celebrado a generosidade do senhor para com os outros também, que poderiam levar para casa a mesma recompensa. Basta percebermos, ao nosso redor, e encontraremos muitas pessoas que não são gratas com aquilo que tem, porque são invejosas. Quantos maridos não são gratos em relação a tudo o que suas esposas fazem, quantas mulheres não são gratas ao marido que trabalha para trazer o sustento para casa, quantos filhos que não são gratos aos pais e, ainda, poderíamos trazer inúmeros exemplos. Esse é um problema que precisamos tratar no nosso caráter.

A Bíblia diz que o invejoso não terá aquilo que ele ama, porque a inveja é um poder destrutivo. O invejo não tem ideia do que o aguarda.

O invejoso é ávido por riquezas, e não percebe que a pobreza o aguarda.

Provérbios 28:22

Para o invejoso, há uma certa devoção às riquezas. O invejoso entende que o dinheiro é o fim. E quando ele entende que o dinheiro é um fim e não um meio, pode acabar quebrando muitas regras na sua vida para conquistar mais e mais. Vai ser possessivo, abusador e não grato – tudo pela sua fome de riquezas. Como ele ama as riquezas, dificilmente terá condições de juntá-las. Diante disso, qualquer bênção que aconteça com pessoas ao seu redor vai feri-lo, vai machucá-lo. Isso pode acontecer no ambiente familiar, a inveja, ocasionalmente, pode vir do cônjuge. Quantos casamentos são destruídos porque é gerado um ambiente de inveja até entre esposo e esposa. Um não celebra o crescimento do outro e acabam entrando num ambiente de competitividade. A Bíblia diz que o invejoso ama aquilo que ele não tem, logo, se o outro tem e ele não tem, isso o fere. O invejoso não entende que as riquezas são um meio e, por isso, a pobreza o aguarda. Ele está fixo em amar as riquezas e isso sempre traz destruição.

Diante dessa reflexão pessoal, se somos ou não invejosos, precisamos nos arrepender, caso a resposta seja sim. Se não conseguimos celebrar com o outro, celebrar com a bênção do outro, precisamos que o sangue de Jesus nos purifique desse pecado. Se não conseguimos nos alegrar com o sucesso dos outros há um problema sério dentro de nós, que precisa ser resolvido.

O contrário do invejoso pode ser o generoso. E qual o caráter do generoso? É um caráter que resplandece quem Deus é. No caráter de Deus, a generosidade é uma das principais virtudes. O generoso paga tudo com generosidade. Tudo o que alguém faz para o generoso ele devolve com extrema gratidão. O generoso paga tudo na sua vida com generosidade e não somente em relação a finanças. O senhor, da parábola citada no início desse capítulo, é generoso com aqueles que serviram, de alguma maneira, mesmo que por menos tempo. Talvez, à medida que via o trabalho deles, percebeu a necessidade que aqueles tinham de também receber um salário generoso. Isso mostra o caráter de Deus. Não importa em que estação ou estado da vida chegamos a Deus, Ele sempre terá um ambiente de generosidade para nos abençoar.

O generoso é justo com a sua palavra. Sua palavra é extremamente importante. Ele pode ser acrescentador, no entanto, anda dentro de uma justiça, o que ele falou e prometeu, ele cumpre. Destarte, o crente deve ter uma palavra só. Sim é sim, não é não.

Outro aspecto do generoso é que tudo que é seu está a serviço dos outros. Tudo o que Deus deu, ele reparte com os outros. Não só recursos: inteligência, sabedoria e dádivas. E um dos grandes propósitos de existirmos nessa terra é, justamente, podermos repartir. Não importa se as pessoas nunca foram ou são generosas como somos, haja vista que, nós, em Cristo Jesus, somos chamados para sermos alguém que reparte. Enquanto o invejoso é avarento, sempre reclama, o generoso não tem problema em doar e se doar. Enquanto o invejoso pensa e olha para si, o generoso está sempre procurando a quem possa abençoar. Nós sempre vivemos nessa terra em função dos outros. Quando nos casamos, passamos a viver, também, em função do cônjuge, quando temos filhos, vivemos em função dos filhos. Quando chegamos à igreja, ela não está ali para fazer tudo por nós, fomos introduzidos ali para poder servir com todos os nossos talentos e os nossos dons. Todas as riquezas que Deus nos der, em qualquer âmbito, é para servir os outros, a começar da nossa família e expandindo cada vez mais, conforme nossa possibilidade. A generosidade está diretamente ligada ao servir. Quando entendemos que a lógica do reino de Deus é serviço, compreendemos parte do Seu propósito aqui nessa terra.

Recordo quando comecei no ministério. Tínhamos poucas pessoas que nos ajudavam e serviam junto conosco. Tínhamos um pequeno grupo, ou grupo familiar, como chamávamos na época. Eram poucas pessoas, e eu era um garçom de Deus servindo com a Palavra. Dessa forma que começou meu ministério. Depois, o Senhor foi nos acrescentando e fazendo crescer o ministério, mas começamos servindo às pessoas. À proporção que eu cresço, preciso entender que não me torno mais importante somente, tenho que ser mais generoso para poder servir mais pessoas. Hoje, tendo a oportunidade de servir dezenas, centenas e milhares de pessoas, significa que hoje eu preciso ser mais generoso.

QUANTO MAIS HONRA DEUS NOS DÁ, MAIS GENEROSOS PRECISAMOS SER PARA SERVIR ÀS PESSOAS.

O generoso é alguém que é abençoado fora da razão lógica. Ele não trabalha somente na racionalidade. A racionalidade, talvez, fizesse o senhor da parábola dividir o dinheiro em todos eles, mas ele agiu fora da lógica somente. Ele foi justo e agiu com generosidade.

Vou falar de três bênçãos para uma pessoa que é generosa:

1. A PROMESSA DE DEUS PARA O GENEROSO É PARA ELE E TODA A SUA CASA. ELA SE ESTENDE PARA ELE E SUA DESCENDÊNCIA.

2. O GENEROSO SEMPRE RECEBERÁ ALÍVIO. COMO É BOM QUANDO TER ALÍVIO NA PRESSÃO DA VIDA.

O generoso prosperará; quem dá alívio aos outros, alívio receberá.

Provérbios 11:25

Aquele que é generoso recebe o alívio. Tudo o que ele plantar em generosidade se voltará para ele em alívio das pressões, das dificuldades.

3. O GENEROSO SERÁ SEMPRE ABENÇOADO.

Quem é generoso será abençoado, pois reparte o seu pão com o pobre.

Provérbios 22:9

A pergunta que fica é: O que escolhemos ser? Invejosos ou generosos. Cada um trará as suas próprias consequências, boas ou ruins. As promessas de Deus sempre correrão atrás daquele que decide ser generoso.

16

O NOSSO DINHEIRO SERVE À MENTIRA OU À VERDADE?

A mentira é a linguagem do inferno que cria vida própria e depois sai destruindo tudo ao seu redor.

Assim, os soldados receberam o dinheiro e fizeram como tinham sido instruídos. E esta versão se divulgou entre os judeus até o dia de hoje.

Mateus 28:15

Essa história é fascinante. O contexto, aqui, trata-se dos religiosos que pagaram os soldados romanos para que eles pudessem mentir sobre a ressureição de Jesus, dizendo que, na verdade, o ocorrido era que os discípulos haviam aparecido na tumba durante a noite para roubar o corpo de Jesus, espalhando o "boato" que Ele havia ressuscitado. Para essa mentira, a Bíblia ratifica que foi pago uma alta soma em dinheiro aos soldados romanos. Sabendo disso, começamos a entender o poder que o dinheiro tem para servir também aos maus interesses. O dinheiro pode servir à verdade e à mentira. Ainda que a luz sempre vá prevalecer sobre as trevas e a verdade sobre a mentira, a mentira sempre terá o seu efeito destrutivo.

Quando observamos países poderosos, como o EUA, tudo o que acontece lá se projeta de alguma maneira no mundo inteiro. Sendo assim, os EUA têm os maiores artistas, maiores atores. Por que alguém tão talentoso como um ator ou cantor dos EUA, se nascer em algum lugar da África, pode não ter tanta projeção quanto alguém que nasce nos EUA? Por que o poder de projeção da nação americana é infinitamente maior e acaba tocando e aparecendo para o mundo todo. A força do dinheiro americano é muito maior. Assim como podemos dizer que a força missionária americana é muito grande. Dificilmente veremos algum país que não sofreu algum tipo de influência do protestantismo e da força missionária americana. Nós, no Brasil, somos um exemplo disso, fomos fortemente influenciados pelos americanos. Isso tudo acontece por quê? Porque os EUA são a nação mais rica do mundo e a força do dinheiro da projeção. Da mesma maneira como essa força pode levar coisas boas também pode levar e projetar coisas ruins. Basta ver a degradação moral que é projetada nos filmes de Hollywood e que são espalhadas pelo mundo todo pela força do dinheiro americano. O dinheiro tem esse poder de projetar tudo – o que é bom e o que ruim.

Comecemos, então, a fazer a nossa reflexão pessoal: "Eu estou usando o meu dinheiro para projetar verdades ou mentiras?" Na passagem de Mateus, referida acima, o dinheiro foi usado para projetar a mentira. A mentira é uma distorção da realidade e que, depois de processada, tem o poder de caminhar com vida própria. Essa versão que diz que Jesus nunca ressuscitou, apenas teve o seu corpo roubado, prevalece até hoje em alguns círculos religiosos judeus. Essa mentira foi contada a mais de dois mil anos e criou vida própria. Pensemos: se alguém difama outro, contando uma mentira grave, essa pessoa pode arrepender-se, pedir perdão e ser perdoada, todavia, dependendo de como for o caso, essa mentira pode já estar propagada e não tem como evitar. A mentira vai continuar andando até que se tente paralisá-la. A mentira é infernal pois ela foi criada pelo diabo. A Bíblia diz que o diabo é o pai da mentira e, toda a vez que a mentira está atuando, de alguma maneira, o diabo também está ali, atuando. Verifiquemos o que a Bíblia fala sobre isso:

Vocês pertencem ao pai de vocês, o diabo, e querem realizar o desejo dele. Ele foi homicida desde o princípio e não se apegou à verdade, pois não há verdade nele. Quando mente, fala a sua própria língua, pois é mentiroso e pai da mentira.

João 8:44

Jesus está falando aos religiosos fariseus de sua época, dizendo que aqueles que mentem estão realizando o desejo do diabo. Quando mentimos é como se estivéssemos "evangelizando" para o diabo. Isso é extremamente importante erradicarmos de nossas vidas. A mentira deve ser extirpada. E nossas finanças? Estamos usando-as para a mentira ou para a verdade?

Se, de algum modo, nosso dinheiro está servindo para promover mentiras, estamos trabalhando para o inferno. A mentira é a linguagem do inferno que cria vida própria e depois sai destruindo tudo ao seu redor.

Mas como combater isso? Somente com a verdade! Mas o que é a verdade? A verdade não é simplesmente uma filosofia, ela não é um conjunto de ideias construída na mente dos homens, a verdade é uma pessoa. A verdade é Jesus!

Respondeu Jesus: "Eu sou o caminho, a verdade e a vida. Ninguém vem ao Pai, a não ser por mim".

João 14:6

Jesus não tinha um caminho, Ele é o caminho, não carregava somente uma verdade, Ele é a própria verdade e a própria vida. Quando corremos atrás da verdade, não vamos encontrar um conjunto de filosofias humanas organizadas, encontraremos uma pessoa. Encontrar a verdade não é estar do lado de uma ideologia política ou filosofia de vida, encontrar a verdade é encontrar Jesus, que é o único que pode nos libertar do engano. A verdade Jesus, nos liberta de toda a mentira que possa vir disfarçada de ideologia e filosofia. Por isso que, conforme conhecemos a verdade, ela nos liberta. Não é conhecer um conjunto de ideias, mas conhecer essas pessoas que se revelaram e, agora, se expressam em nós e através de nós. Por conseguinte, a fé cristã começa em alguém a partir do novo nascimento. Reconhecer a verdade não é somente admitir que os cristãos têm ideias boas. A verdade exige uma experiência com Jesus e, tida essa experiência, entender que a Sua Palavra é a Sua vontade, a perfeita instrução que Deus nos deixou para caminharmos sobre ela.

Vamos, a reflexão pessoal: Estamos tendo uma experiência com a verdade? Uma verdadeira experiência com Jesus? O nosso dinheiro serve mais à mentira ou serve à verdade? Nossos recursos estão financiando o quê?

Um exemplo são pais que usam seus recursos para promover mentiras, deixando os filhos serem criados apenas pela televisão, e ainda pagam por isso. Muitos não sabem, a Xuxa falou a milhões de crianças através da televisão, contudo, não deixava sua filha assistir televisão. Muitos artistas que estão no ramo da televisão e vivem disso não deixam seus filhos assistirem o que eles mesmo produzem. Por que isso ocorre? Porque sabem que aquele mundo em que estão podem trazer destruição. Muitas pessoas pagam televisão para semear mentiras nas vidas dos seus filhos e não estão nem percebendo. Precisamos estar atentos em como estamos usando o nosso dinheiro, se para promover mentiras ou para promover a verdade.

Quantas pessoas se sentem constrangidas ou acuadas quando convidadas a investir o seu dinheiro para a evangelização dos povos? Nos últimos anos, quanto ofertamos por missões? Quanto investimos para que a verdade seja promovida ao redor do mundo? O evangelho deve ser pregado ao mundo todo. Qual tem sido nosso investimento para que isso aconteça nos últimos anos? Pergunte-nos! Depois, pensemos em quanto pagamos em TV a cabo? Em serviços de streaming ou assinaturas de jornais e revistas nos últimos anos? Estamos investindo no inferno ou investindo no céu? Essas são perguntas que devemos fazer para mudar a nossa maneira de enxergar as coisas. Precisamos pensar o que o nosso dinheiro está ajudando a produzir no mundo. Isso vai revelar se estamos aliados à verdade ou aliados à mentira. Os religiosos, da passagem que lemos, investiram o seu dinheiro e foi uma alta quantia para promover uma mentira e uma das piores, dado que é uma mentira que impede as pessoas de crerem na única e poderosa verdade, tanto que isso perdura até os dias de hoje em alguns grupos, como já falamos.

Quantas coisas mentirosas, falsos ensinos, enganos, estão dentro de nossos filhos e nem percebemos. Enganos sobre família, sobre casamento, sobre honra, sobre autoridade. Constantemente investe-se milhões e milhões para que isso seja colocado no coração dos nossos filhos através das telinhas. Toda produção televisa ou de filmes exige milhões para ser produzida. Se para se promover a mentira é necessário muito dinheiro, para promover a verdade também. É necessário investimento, recursos. Devemos investir para promover a verdade. Usar nosso recurso naquilo que é verdadeiro e parte do Cristo e de sua Palavra. É relevante usarmos nosso dinheiro para promover um ambiente para que as pessoas possam ter uma experiência com Jesus e terem as suas vidas transformadas. A verdade sempre estará sobre nós e sobre nossa casa, sobre nossos filhos e os filhos dos seus filhos. Se promovermos a verdade, ela nunca se apartará nós e de nossa casa.

17

QUEM AMA O DINHEIRO, ZOMBA DE JESUS

Se dinheiro não fosse importante, as pessoas não viveriam correndo atrás dele, juntando, guardando e, principalmente, usando-o.

Os fariseus, que amavam o dinheiro, ouviam tudo isso e zombavam de Jesus.

Lucas 16:14

Nós temos três fatores de razão dentro da nossa alma, fatores que absorvem conhecimento e vão desenvolver a nossa forma de viver. Temos o inconsciente, o consciente e o pré-consciente. Jesus falava sobre servir a Deus ou a Mamom. Como Jesus ensinou, ninguém pode fazer isso, em algum momento, teremos que escolher. Jesus explicou sobre o poder terrível de uma pessoa que tem amor e devoção ao dinheiro. Quantas pessoas matam por dinheiro, quantos roubam por dinheiro, fazem coisas terríveis por dinheiro. Jesus estava falando desse poder, que pode se assenhorar de uma pessoa; esse domínio mental que leva as pessoas à escravidão. Quantas pessoas se sentem escravas, hoje, não tem paz nem para trabalhar, não se sentem livres para nada. O amor ao dinheiro torna as pessoas escravas. Escravo não faz o que quer, não pode desenvolver o que quer, escravo só obedece, e ser escravo do dinheiro significa ter sua vontade tolhida pela vontade do "deus" mamom. Esse texto nos leva a pensar no ambiente do nosso coração.

Pois onde estiver o seu tesouro, ali também estará o seu coração.

Lucas 12:34

Onde estão as coisas mais preciosas da nossa vida? Dentro do coração é onde está o nosso tesouro. O ambiente do nosso tesouro é o coração, e o ambiente do nosso coração é onde estará o que há de mais precioso para nós. Olhe o que Jesus diz em Lucas (6:45):

O homem bom tira coisas boas do bom tesouro que está em seu coração, e o homem mau tira coisas más do mal que está em seu coração, porque a sua boca fala do que está cheio o coração.

Lucas 6:45

Os fariseus zombavam de Jesus. Era isso que estava dentro do coração deles. Eles não falavam por falar, não zombavam por zombar, apenas expunham aquilo que estava dentro do coração. Por isso, não entenderam Jesus, não O reconheceram e O crucificaram. O amor, a devoção às riquezas fazem de uma pessoa escrava, geram ofensas e zombarias para Deus. Nunca podemos tirar o Senhor do centro da nossa devoção, da nossa paixão. Nunca devemos acordar mais apaixonados pelas coisas que Deus pode providenciar do que pelo próprio provedor. Nada pode roubar a nossa devoção a Deus. Quando não tratamos o nosso coração em relação às riquezas, acabamos produzindo coisas terríveis. Quando não tratamos o nosso coração, nos tornamos zombadores.

Jesus sempre sugeriu que deveríamos ter uma relação correta com o dinheiro. Quando vivemos na miséria e sempre temos falta de tudo, estamos mostrando que a falta é o que prevaleceu em nossas vidas, até mesmo acima de Jesus. Esse é o testemunho que mostramos ao mundo. Quando a Bíblia fala, em Romanos 8, um capítulo lindo das escrituras sagradas, que nenhuma condenação há para aqueles que estão em Cristo Jesus, está dizendo que a nossa vida deve mudar completamente a partir de Cristo. Em Cristo somos justificados, transformados, nossos pecados são perdoados, tudo ao nosso redor começa a ser transformado, inclusive nossas finanças.

Quando somos justificados, tudo na nossa vida começa a pender para a vida. O próprio capítulo 8 de Romanos vai continuar dizendo acerca da nossa luta entre carne e espírito, e que o espírito deve sempre prevalecer, nos levando para um lugar de vida e não de morte. Essa vida deve ser abundante como o próprio Cristo prometeu para nós. Quando Cristo é o centro, nada poderá nos separar do Seu amor, porque todas as coisas passam a entrar em ordem. Nossas finanças encontram o lugar certo em nosso coração, e não nos dominam mais como escravos. Quando ainda somos escravos das riquezas, ou vivemos em miséria, mostramos que a falta das coisas venceu em nossas vidas e nem tudo mais está em ordem.

Temos esses dois tipos de pessoas: Muitos deixam de servir a Deus por amor ao dinheiro, enquanto outros deixam por não ter ele e serem escravos de uma vida miserável. Podemos ter atividades religiosas intensas, mas, em nosso testemunho, desonramos a Deus por causa da miséria e da pobreza. Os fariseus tinham uma intensidade religiosa muito profunda, a ponto de acharem que Jesus estava mentindo e não era o Messias. Eles tinham muitas atividades religiosas, entretanto, não tinham o tratamento de Deus no seu coração. Só com a atividade religiosa, sem entendermos os processos de Deus em nossas vidas, acabaremos ficando pelo caminho. Usamos nosso trabalho, o dinheiro, as riquezas como um fim das coisas e não mais como um meio. E tudo isso, trabalho, dinheiro, riquezas, família só podem ser santificados no Senhor. As riquezas nunca devem ser o seu alvo de final de vida, e sim um meio para proporcionar boas coisas para você, para os seus filhos, e um meio para que o reino de Deus seja propagado.

Podemos, com nosso recurso, abençoar missionários ao redor do mundo, que estão em lugares difíceis, precisando que sejamos seus parceiros. Nós ajudamos alguns missionários no mundo e, toda vez que fazemos isso, nos sentimos tão bem pela oportunidade e bênção divina de poder suprir alguma necessidade de alguém que está proclamando o evangelho. Todas as conquistas de riquezas, em nossa vida, são um meio para proporcionarmos a bênção de Deus também para outras pessoas.

Os fariseus tinham uma atividade religiosa imensa, porém, não tinham o dinheiro como um meio e sim como um fim. Quantas pessoas possuem uma intensidade religiosa muito grande, até doam, ofertam, muitas vezes, por medo. São coagidas a ofertar com medo de que algo ruim aconteça com elas caso não o façam. Muitos, por causa da atividade religiosa, não se movem dentro do privilégio de doar com alegria, o fazem por medo de um tipo de retaliação. Isso revela um Deus de medo e não é o Deus bíblico. É possível vivermos uma atividade religiosa intensa sem perceber a presença de Deus.

Os fariseus davam o dízimo de tudo, ofertavam, no entanto, faziam isso por ganância. Estava tudo invertido dentro do coração deles, o tesouro do coração deles não era o Senhor, eram as riquezas. Muitas pessoas religiosas vivem nessa mesma situação. Quantos já chegaram para mim e falaram que mesmo ofertando e dizimando não eram abençoadas? Essa pergunta em si já não é a mais correta. Não ofertamos e dizimamos somente para sermos abençoados, devemos fazer isso por amor ao Senhor e sua obra. Quando fazemos isso por amor, esse questionamento já não tem mais validade. Se compreendemos a dádiva da doação, constatamos que não se trata mais do que podemos ganhar.

Há pessoas que chegam para mim e dizem que não gostam de trabalhar. Isso é muito sério. Pessoas fora de sua vocação, de seus empregos, porque não conseguem ver o trabalho como uma dádiva do senhor. Deus produziu o trabalho para ser bênção. Quando não estamos satisfeitos com nosso trabalho e nossa vocação, geralmente, ainda culpamos a Deus. Esquecemos que Deus é o nosso provedor amoroso, que nos permite infinitamente mais do que pedimos ou pensamos. Existe um ditado famoso que fala: "Quem gosta do que faz, não trabalha". Isso tem tudo a ver com a compreensão de que o trabalho é uma vocação de Deus dada aos homens. Quando descobrimos nossa vocação, o lugar do nosso trabalho em nosso coração, tudo se torna bênção em nossa vida. O ponto central é que cada coisa precisa estar no seu devido lugar. Deus, as riquezas, a família, o trabalho e todas as outras áreas. Cada coisa precisa estar no seu lugar.

Talvez, o dinheiro não é importante? Se dinheiro não fosse importante, as pessoas não viveriam correndo atrás dele, juntando, guardando e, principalmente, usando-o. Precisamos nos relacionar da forma correta com cada coisa em nossa vida. A nossa história começou em Jesus Cristo, a Bíblia assegura que as coisas velhas se passaram e tudo se fez novo, e nessa nova vida precisamos entender como nos relacionar com cada coisa. Nosso caminho é Cristo Jesus, a verdade que buscamos e a vida que ansiamos vem do próprio Jesus. Mas não há como escapar, precisamos dominar o dinheiro antes que ele nos domine.

Temos que buscar colocar as coisas em ordem. Se a busca pelo dinheiro é nossa prioridade diária, devemos inverter isso rapidamente. Toda mudança em nossas vidas vem através de uma chuva de sabedoria e conhecimento. A palavra de Deus é essa chuva que vem sobre nós para molhar a terra do nosso coração, para que a semente da terra brote, cresça, vire uma árvore e produza muitos frutos que outros ao redor vão desfrutar. É imperioso mudar os valores da nossa vida para que sejamos essa árvore frondosa e frutífera e que os projetos divinos se desenrolem em nosso coração. Precisamos aproveitar o conhecimento de Deus que recebemos para viver uma transformação radical em nossa vida. Devemos amar ao Senhor nosso Deus de todo o nosso coração, de toda a nossa alma e de toda a nossa força. Que consigamos quebrar o raciocínio de que somos escravos das coisas, escravos dos outros, escravos da miséria. Não somos escravos, somos livres em Cristo, e livres pelo amor e para o amor. Agora, na liberdade do amor, somos chamados à obediência a Deus. Obediência por amor ao seu nome.

Não precisamos correr atrás das bênçãos de Deus, devemos amar a Deus e obedecê-lo de todo o coração e de maneira voluntária. As coisas que, hoje, lutamos tanto para alcançar, Deus as programou para que corram atrás de nós até nos alcançarem. Se vivermos correndo atrás, inverteremos os valores divinos e impediremos as bênçãos. Se entendemos o amor de Deus, e passamos a obedecê-lo de forma voluntária, o céu entende que estamos prontos para que essas bênçãos nos alcancem. Nossa corrida não pode ser desajustada a ponto que as bênçãos não nos alcancem, dessa forma, obedeçamos verdadeiramente a Deus e por amor. E, à medida que o amamos e o obedecemos, viveremos constantemente debaixo da sabedoria divina. Que enchamos o coração de sabedoria para lidar com todas as esferas da vida. Esse é o ciclo que deve acontecer, com cada coisa no seu devido lugar.

18

A COBIÇA GERA RAÍZES MALIGNAS

A cobiça faz com que prostituamos o plano de Deus.

Pois o amor ao dinheiro é raiz de todos os males. Algumas pessoas, por cobiçarem o dinheiro, desviaram-se da fé e se atormentaram a si mesmas com muitos sofrimentos.

1 Timóteo 6:10

O primeiro ponto que precisa estar bem claro é que não são o dinheiro e as riquezas os grandes problemas. O amor ao dinheiro e às riquezas é, sobretudo, o que iremos trabalhar nesse capítulo. A cobiça é que traz destruição. Isso desde os mandamentos. Em Êxodo 20, quando Deus vai dar os 10 principais mandamentos ao seu povo, essa palavra aparece lá. Não COBIÇARÁS. É uma ordem taxativa. A cobiça é algo que, expressamente, Deus orienta e ordena contra. Mas o que é a cobiça? Vamos pensar um pouco sobre isso.

A cobiça é uma manifestação de um complexo de inferioridade em relação ao outro. Se nos sentimos com um complexo de inferioridade a quem está ao meu redor, é provável que estejamos desenvolvendo algum tipo de cobiça dentro de nós, e o contrário também, é claro. Se estamos cobiçando, provavelmente é fruto de nos acharmos inferiores em relação ao outro, ou em relação ao que o outro tem. A cobiça faz-nos olhar, no outro, aquilo que gostaríamos de ser e não somos, isso é extremamente danoso. A primeira coisa a dizer é que ninguém precisa ter complexo de inferioridade em relação a qualquer coisa. Ninguém é inferior a ninguém perante o Senhor. A Bíblia alude que Deus não faz acepção de pessoas. Deus fez-nos como seres únicos no mundo. Deus só tem bons pensamentos sobre nós e a cobiça nos impede de enxergar isso. A cobiça rejeita o plano pessoal que Deus tem para nós.

Por que sempre estamos olhando para os outros e não para o que Deus colocou dentro de nós? Devemos olhar especificadamente para o que Deus tem para a nossa vida e para o que Deus projetou para a nossa história. Qual o desenho de Deus para nós? O que ele pensou a nosso respeito? A cobiça descontrolada acaba se tornando uma rejeição ao propósito de Deus. Alguém assim nunca quer aquilo que Deus planejou para ela, só quer o que Deus planejou para o outro. Dia a dia, essa pessoa rejeita a proposta de Deus para a sua existência. Nunca, jamais, devemos desejar aquilo que é do outro. Devemos nos alegrar com o outro, com a alegria do outro, com a conquista do outro, e não desejar aquilo que o outro tem. Aprender com o que outro tem para que nós mesmos possamos conquistar está correto, todavia, quando nos debruçamos para ter aquilo que o outro tem, ou desejamos exatamente aquilo, nosso coração está cheio de cobiça, que é esse pecado destrutivo.

Se olhar o sucesso dos outros nos faz mal, certamente, temos um grande problema. Se ver o outro vencendo, ganhando, sendo bem-sucedido, faz-nos mal, estamos fora do norte correto de vida no Senhor. O que nos alegra deve ser aquilo que o Senhor deu para nós, não em termos aquilo que o outro tem. Possuímos um encaixe, uma forma para receber exatamente aquilo que Deus quer que tenhamos, e não na forma do outro. Isso é muito comum na família, na igreja, nos relacionamentos de modo geral. Ninguém ocupa o lugar de ninguém em Deus.

O texto que lemos fala que essas pessoas, por cobiçarem o dinheiro, amarem o dinheiro, se desviaram da fé e atraíram para si sofrimentos. Isso é terrível.

Recentemente, vi um vídeo que me ensinou muito. Era de uma menina que tinham debilidades físicas e ela fala, no vídeo, que não tinha problema em ser especial, porque aquela era uma condição física que ela tinha, mas isso não era totalmente o que ela era, e ela, como pessoa, era muito maior do que a debilidade e não desejava nada de ninguém. Foi uma grande lição. Aquela menina ensinava que não desejava ser outra pessoa, porque aquilo era o que ela era. Pessoas que cobiçam serão infelizes a vida toda. Nunca conseguirão ter autoestima que as faça viver alegres. Nós devemos ter autoestima no valor que Deus determinou. Não importa se somos altos, baixos, magros, gordos, brancos ou negros, Deus fez-nos dessa maneira e é exatamente dessa forma que vamos manifestar a glória de Deus nesse mundo. Estaremos encaixados para sermos vencedores exatamente do modo que o Senhor nos criou.

A cobiça faz com que prostituamos o plano de Deus. Sim, isso é forte, contudo, é a verdade. Há uma história nas Escrituras, em Ezequiel 23, das irmãs Aolá e Aolibá, em que Ezequiel está profetizando com uma tipologia de Samaria e Jerusalém. Deus está falando que o povo de Israel se prostituiu porque, mesmo tendo tantas promessas, quis ir após os seus amantes por causa da cobiça. A profecia fala de como Israel, desde os seus primórdios, quis viver aquilo que as outras nações viviam, mesmo sendo o povo escolhido de Deus, amado por Deus para ser luz para as outras nações, decidiu desejar o que as outras nações tinham e se envolver com o pecado delas. Deus está falando que Israel se prostituiu durante sua vida por causa da cobiça. Em outro momento, podemos ler o capítulo 23; apenas para entendermos o propósito, segue o verso 7:

Ela se entregou como prostituta a toda a elite dos assírios e contaminou-se com todos os ídolos de cada homem por ela cobiçado.

Ezequiel 23:7

Deus havia preparado uma imagem específica para Israel, entretanto, o povo sempre se prostituiu diante de uma imagem de outros povos. Israel deveria ser o modelo para as outras nações. As outras nações deveriam olhar para Israel como um grande modelo a ser seguido, como a nação abençoada pelo único e verdadeiro Deus. No entanto, Israel se prostituiu. Abandonou a aliança original para se envolver com os outros povos e com o que os outros povos tinham. Israel achava que esses povos eram maiores, mais poderosos e, por isso, se entregou a eles. É isso que a profecia quer dizer.

ISRAEL, POR CAUSA DA COBIÇA, PROSTITUIU O PLANO DE DEUS E, QUEM SE PROSTITUI POR CAUSA DA COBIÇA, DEIXA DE VIVER TUDO O QUE PODERIA TER VIVIDO EM DEUS.

Em se tratando de finanças, o texto que lemos, no início, deixa claro que o problema não é o dinheiro, as riquezas, as posses, a prosperidade, e sim a cobiça. Podemos pensar em plano B, C, D e adiante, mas Deus só tem um plano A para cada um de nós. Precisamos voltar para o plano original de Deus, de onde nunca devíamos ter saído.

Agora, se identificamos área de cobiça dentro da nossa alma e do nosso coração, como destruir isso? Como destruir o poder da cobiça?

Em primeiro lugar, precisamos nos voltar para a vontade de Deus. A Bíblia declara:

O mundo e a sua cobiça passam, mas aquele que faz a vontade de Deus permanece para sempre.

1 João 2:17

Se fazemos a vontade de Deus, deixamos um legado. Viver a vontade de Deus é viver o plano A. Cobiçar não o que o mundo tem a nos dar, é como a vontade de Deus pode ser estabelecida. Ao invés de cobiçar o que o outro tem, a Bíblia nos convida a ajudar o próximo. Ajudar o outro com aquilo que nós temos, com aquilo que foi confiado a nós. Devemos ajudar a suprir a necessidade dos outros ao invés de cobiçar o que outros, maiores que nós, podem ter. Aquele que não faz a vontade de Deus é um alvo fácil para a cobiça. Devemos buscar o Reino de Deus e a sua justiça e todas as demais coisas nos serão acrescentadas. Não precisamos cobiçar, pois à proporção que buscamos o reino, seremos abençoados dentro da medida que Deus tem para cada um de nós. Nossa primeira paixão sempre será o Senhor. Nosso maior desejo é o seu reino, consequentemente, cobiçar as riquezas também é uma forma de idolatria. É colocar o dinheiro acima de Deus. As riquezas têm que estar debaixo do nosso comando em nossas vidas, porque nós temos um Senhor.

Nós acordamos pela manhã não pensando em nossas necessidades, porém, pensando no nosso Deus, que é poderoso para nos prover formas de suprir todas elas. A última coisa, na noite, antes de dormirmos, deve ser a gratidão por tudo o que Senhor tem feito por nós até aqui. Isso é viver debaixo da vontade de Deus. Quando buscamos o reino de Deus e a sua vontade, podemos deitar-nos e dormir tranquilamente, uma vez que sabemos quem nos sustenta. Muitas vezes, a necessidade bate em nossas portas, tentando nos dizer que temos que estar ansiosos, não obstante, quando vivemos debaixo da vontade de Deus, essas vozes têm que se calar. A cobiça não pode ter voz. Se ela encontrar espaço para se alinhar em nós, trará muitas dores e sofrimentos. Devemos escapar do poder da cobiça. Muitos que viveram a vida cobiçando o dinheiro, nunca tiveram, e foram atormentados a vida inteira por aquilo que não tinham. Não puderam desfrutar da presença maravilhosa do Senhor. Fujamos da cobiça, nos contentemos com aquilo que Deus tem para nós, com a nossa porção, façamos a vontade de Deus, sabendo que somos únicos, não tem ninguém igual a nós no mundo, e somos amados por Deus.

19

RIQUEZAS SEM DEUS SÃO UMA TRAGÉDIA

Todos os nossos planos precisam estar envolvidos no Senhor e envolvidos com o plano do Senhor.

Estamos em um tempo de mudar tantas coisas em nossas vidas, de buscar um lugar no coração de Deus, um lugar de arrependimento e encontrar uma estratégia em Deus para vencer. Quando Deus falou sobre a nação de Israel, Ele promoveu a vida em momentos de morte, comida no tempo de escassez.

Nesse capítulo, iremos falar sobre riquezas sem Deus, e como isso pode se tornar tragédia.

Em Tiago 4:13 e 14 encontramos: *"Ouçam agora, vocês que dizem: 'Hoje ou amanhã iremos para esta ou aquela cidade, passaremos um ano ali, faremos negócios e ganharemos dinheiro' Vocês nem sabem o que lhes acontecerá amanhã! Que é a sua vida? Vocês são como a neblina que aparece por um pouco de tempo e depois se dissipa".*

E, no versículo seguinte, Deus fala: "Nós podemos fazer planos, se Deus assim o permitir". O que Deus está dizendo não é contra a construção de riquezas, o que Deus não quer é que não amemos as riquezas mais do que Deus, que sejamos escravos das riquezas e que construamos um plano financeiro sem Deus. Em Tiago, há o relato que não devemos fazer nada sem propósito divino, tudo na nossa vida que for construído tem que ter propósito divino, ou seja, não adianta construir família sem Deus, construir riquezas sem Deus, não adianta fazer projetos sem Deus, porque tudo vai se tornando uma tragédia. Quantas pessoas já começaram bem e terminaram mal? Em função disso, temos que ter um propósito divino, e tenho falado continuamente nesses 40 conselhos sobre a importância de acordarmos pela manhã e termos a nossa devoção a Deus. Nós não devemos fazer nada sem Deus, porque se, na vida, nos sobrar um legado de uma história que ficou fundamentada sem Cristo, vai ser uma neblina que logo todos esquecerão. Pessoas que não caminharam em fé com Deus, não são lembradas. Quantas pessoas construíram coisas a vida toda e, no final, se sentiram sem completude de vida? Não ter a sensação de ter completado a carreira, de ter feito a vontade de Deus. Buscar riquezas sem propósito divino é como uma roleta russa, sempre vai dar errado, sempre será algo que se volta contra nós.

O pensamento de hoje é sobre reforçar o nosso coração. Deus quer que construamos riquezas? Sim. Por toda a palavra, fala de um Deus das riquezas. Mas como que eu devo administrar a riqueza, sem um propósito divino? A pessoa pode até juntar riquezas nessa terra, todavia, diante de Deus, será pobre. Ninguém sabe o dia de amanhã, a não ser Deus. O pecar é errar o alvo, errar aquilo que Deus colocou como propósito. Todos os nossos planos precisam estar envolvidos no Senhor e envolvidos com Jesus. Assim, deixaremos um legado e uma história, depois que partirmos, ficarão os exemplos.

Dentro da minha casa, a minha mãe é um exemplo de tudo, ela já partiu para a eternidade com o Senhor, contudo, deixou um legado. Às vezes, a família precisa relembrar do modelo de vida que ela viveu para ajustar a rota. Minha mãe, em tempos de crise, nunca acreditou que o povo de Deus seria abandonado, nunca acreditou que alguém poderia tocar na vida dela se Deus não permitisse. Foi uma guerreira que deixou um legado. Foi vencedora na área das finanças, uma mulher espiritual, de oração, uma mulher de evangelização, enfim, deixou um enorme legado de correção para vida. O que Tiago está dizendo é exatamente sobre isso, a gente não sai fazendo planos sem Deus, todos os nossos planos precisam estar fundamentados no Senhor.

Deus quer que prosperemos? Muito, porém, não ganhamos dinheiro sem Deus. E o que mais vemos necessidade é de pessoas caminhando em direção a Deus. Nessa hora, precisamos de crentes, de pessoas que tenham uma aliança com Deus e caminhem dentro dos projetos divinos. Deus abençoe-nos, que Deus prospere nossa casa, que Deus prospere nossas finanças!

20

TRÊS PECADOS NA RIQUEZA SEM PROPÓSITO

O orgulho é a falta de dependência de Deus.

Ora, este foi o pecado de sua irmã Sodoma: Ela e suas filhas eram arrogantes, tinham fartura de comida e viviam despreocupadas; não ajudavam os pobres e os necessitados.

Ezequiel 16:49

Nessa passagem de Ezequiel, Deus está corrigindo Israel e está fazendo uma comparação de Jerusalém e Samaria, ou o povo judeu em comparação ao povo de Sodoma e Gomorra. Sabemos que a história de Sodoma e Gomorra poderia ter sido muito melhor. Eles tinham um propósito lindo naquele lugar, Deus havia colocado-lhes em um vale das terras mais férteis da região e quem produzisse alimento sairia muito na frente dos outros por causa da terra. Deus colocou Sodoma naquele lugar e eles se tornaram muito ricos. Em cada sociedade, Deus tem uma aliança com o povo, Sodoma e Gomorra se desviaram do propósito de vida. Tantas pessoas se perguntam qual era o pecado de Sodoma e Gomorra, até pensam que o pecado deles era a perversidade sexual – não era. A perversidade deles foi apenas uma consequência. Os pecados que produziram neles essa imoralidade, essa decadência humana, foi o fato de não cumprirem os princípios estabelecidos por Deus, por não estarem ativos nos princípios.

Em Ezequiel 16, Deus proclama para Israel que eles estão indo pelo mesmo caminho que Sodoma e Gomorra foram, Deus colocou riqueza e os abençoou com um propósito, que eles fossem a Nação e que pudessem estender a mão ao pobre, que pudessem exercer uma atividade dentro da aliança que Deus tinha com eles, e é por isso que precisamos entender a aliança que Deus tem conosco, com o seu povo. Dentro de cada geração que viveu Deus tinha uma aliança, a primeira aliança que Deus fez foi a aliança adâmica, Deus tinha feito uma aliança com Adão, com Noé, com a lei e com o homem. Nós estamos na aliança com Deus por intermédio da graça, Deus fala conosco por meio do seu filho que veio, se desfez da sua divindade e veio à terra, fez uma aliança e comprou o povo de Deus.

Precisamos aprender sobre aliança em tudo aquilo que vivemos. Quando nos casamos, não fazemos uma aliança só com a pessoa, fazemos uma aliança com Deus, e precisamos saber qual o propósito dessa aliança e desse casamento.

Como estamos vivendo nossas finanças dentro da aliança da graça de Deus? Somos casados com Deus pela graça, Deus nos uniu a ele por sua graça em Cristo Jesus, é preciso dar uma resposta à essa aliança.

Vamos discorrer quais foram os pecados de Sodoma e que podem incorrer na sociedade nos dias atuais:

Primeiro pecado de Sodoma: orgulho, soberba, arrogância e, em cada tradução, há uma palavra que significa a mesma coisa. O orgulho é um pecado que nasceu no coração do diabo, o diabo quis ser Deus, e o orgulho faz com que pessoas se tornem orgulhosas. O orgulho nos faz perder a humildade.

Não podemos perder a dependência de Deus quando Ele nos abençoa. Existem milhares de homens e mulheres que produzem riquezas, mas tem enraizados, no seu coração, o orgulho, porque se acham pessoas melhores que os outros, se tornam críticos e se deslocam da dependência de Deus, acham que conquistaram tudo com a força dos seus braços, e esse tipo de pessoa se afasta do projeto de Deus, tudo o que eles construíram, em algum momento, se volta contra eles. Muitas famílias prosperaram e, orgulhosamente, deixaram esse pecado entrar no seu coração, se perderam no caminho e terminam em tragédias.

O primeiro pecado que Deus diz que precisamos corrigir é o orgulho. Ele representa falta de dependência de Deus, de rendição e submissão a Deus, a falta de render a Deus e ser grato por tudo que Ele tem nos dado, por todo crescimento que Ele nos deu. A Bíblia diz que

Abraão se fortaleceu dando glória a Deus, Abraão era um homem que estava prosperando, entretanto, em tudo, ele dizia que isso era uma orientação de Deus, ele estava cada dia mais dependente e submisso a Deus.

O ORGULHO É A FALTA DE DEPENDÊNCIA DE DEUS.

Quando foram levantadas as ofertas para a construção do tempo, Davi deu uma oferta de 150 toneladas de ouro e 245 toneladas de prata, nisso, podemos ver o coração de Davi, ele não estava deslocado de Deus, no capítulo 29 de 1 Crônicas fala sobre isso. No início deste livro, Davi fala que deu as 245 toneladas de prata como uma oferta pessoal, e estudiosos dizem que ele deu mais de 1 trilhão de dólares nesta oferta para construir o templo. Em Crônicas, Davi diz: "Quem somos nós, Deus, para te dar alguma coisa, senão tudo que temos foi o Senhor que nos deu". Davi construiu toda aquela riqueza dependendo do Senhor, não se afastando de Deus e nem se tornando orgulhoso.

As pessoas acham que porque estão sendo abençoadas não precisam mais do Senhor.

Segundo pecado de Sodoma: fartura de pão, uma abundância de bênção e não repartiam com aqueles que estavam ao seu redor, não compreenderam a dimensão da bondade e generosidade. Nós temos o pão que vem do céu, Jesus é o pão que alimenta as pessoas espiritualmente e que muda a história, então, precisamos entender que, nessa aliança, temos fartura de pão. Tudo aquilo que Deus nos dá tem um propósito, isso está dentro de um ambiente de riqueza e prosperidade, Deus nos deu a fartura, o pão que vem do céu e, também, riquezas. O país em que vivemos é um país rico, sem embargo, por que somos rodeados de pessoas miseráveis? Porque as nossas maiores festas são de perversidade, nós nos deslocamos de um propósito divino para um propósito mundano. Riquezas sem propósito podem se tornar uma tragédia na vida de qualquer um e isso começa em uma pessoa, uma família, uma cidade, um estado, um país.

Terceiro pecado de Sodoma: ociosidade, preguiça em relação ao plano divino.

Deus deu a eles riquezas para construírem e se moverem dentro dessa riqueza com propósito. Quantas pessoas se movem com preguiça a respeito do propósito de Deus, ainda que Deus tenha dado saúde e tenha mandado para o céu, inúmeras pessoas vivem na ociosidade e não repartem o pão do céu, tem preguiça em relação ao plano divino. Aquele povo tinha preguiça de cumprir o propósito de Deus, de repartir. Deus estava dando e não cumpriam o propósito. A pior tragédia do mundo é quando uma pessoa enriquece e não se lembra do próximo, não lembra daqueles que estão ao seu redor e esquecem do desenho divino, que seria se envolver no Reino de Deus, ajudar o pobre e o necessitado, ajudar a expandir o Evangelho e manifestar Cristo em todas as esferas. A pior tragédia do mundo é quando as pessoas enriquecem e esquecem do seu próximo, perdem toda a configuração divina, que deveria produzir uma boa medida e ajudar o próximo, ajudar aqueles que estão ao seu redor.

Sodoma tinha condições financeiras, notamos, no livro de Ezequiel, que Deus também começa a repreender Israel, que também tinham muitas riquezas, no entanto, começou a perder o propósito divino, e a Igreja não ensina sobre isso, destarte, acontecem inúmeras perversidades, pois os cristãos não são ensinados e saem do propósito divino nas suas riquezas. A consequência desse modelo de vida fez com que Sodoma tivesse riquezas, mas era egoísta, pensava em si mesma, no estilo de vida que levava, não compartilhava o pão, não ajudava os necessitados, era egoísta, tinha tudo que precisava, apesar disso, não tinha propósito com a riqueza. Aqueles homens tinham tudo o que precisavam, mas não tinham propósito com a riqueza, e o Diabo tem, inclusive, trouxe essa inversão de valores, precipuamente, na área sexual, dentro da perversidade, e aquele povo de Sodoma começou a se inflamar de desejos, de imoralidades, de orgulho. As filhas de Ló, que eram casadas e moravam em Sodoma, eram virgens, porque os maridos não se interessavam mais pelas mulheres, quando os anjos estiveram lá, os homens daquela região queriam possuir os anjos, eram totalmente pervertidos. Quando olhamos para os dias de hoje, não é muito diferente, vemos as novas gerações totalmente pervertidas.

Por que Deus acabou com a sociedade do mundo de Nóe? A Bíblia diz que a vinda de Jesus e o juízo sobre a terra serão como os dias de Noé. E como eram os dias de Noé? Eles se casavam, se davam em casamento, e assim será a vinda do filho do homem. A época de Noé era uma perversidade tão indizível, que já havia relações sexuais entre os homens e com aqueles que descenderam dos Espíritos caídos. Quando a Bíblia fala que eles casavam e se davam em casamento, não é o modelo de casamento que conhecemos, era uma perversão e depravação total. Devido a tudo isso, Deus viu que aquela sociedade não tinha mais propósito divino, visto que, quando uma sociedade perde o propósito divino, não há mais motivos para que ela continue a existir na terra e, por isso, Deus enviou o juízo, o dilúvio, começando uma nova história para Noé e sua descendência.

Toda vez que uma sociedade perde o propósito divino, não tem mais motivos para existir, dessa maneira, a Igreja sempre é aquele sal que tempera o mundo pervertido, pode dar essa ideia de propósito divino, de aliança de Deus, tocando pessoas, abençoando pessoas. Temos que caminhar para um lugar no qual não percamos o propósito divino, não podemos analisar o geral, sem analisar o pessoal. Atentemos: precisamos ter um propósito! Nosso propósito não é comer ou dormir, precisamos ter um propósito divino de prosperar neste mundo e ajudar para um propósito, enriquecer para um propósito. Quando Deus nos prosperar, e Deus nos colocou na melhor terra do mundo, na aliança com Cristo Jesus, não sejamos orgulhosos, não sejamos preguiçosos, repartamos nosso pão, repartamos o pão do céu com as pessoas, criemos propósito para nossas riquezas dentro do propósito de Deus para que não sejamos achados sem propósito, e que o juízo de Deus possa chegar.

21

QUEM SEMEIA POUCO, POUCO COLHERÁ

Semeie com expectativa, visualizando sua colheita.

Lembrem-se: aquele que semeia pouco, também colherá pouco, e aquele que semeia com fartura, também colherá fartamente.

2 Coríntios 9:6

Quando a Bíblia anuncia que a terra teria que produzir conforme sua espécie, as águas produzem vida marinha, a água não produz porque é água, e sim porque é um princípio, é uma palavra, foi Deus que terminou. Muitas pessoas têm indisposição em semear; aquele que aprende a semear, aprendeu um princípio de Deus. Temos muita alegria quando recebemos, todavia, a Bíblia diz que devemos ter mais alegria em dar.

Cada um dê conforme determinou em seu coração, não com pesar ou por obrigação, pois Deus ama quem dá com alegria.

2 Coríntios 9:7

Lembro-me que fui muito ministrado por um homem que não era cristão, ele nos deu um terreno e quando fomos agradecê-lo, ele olhou e disse: "Vocês não entenderam, não são vocês que são abençoados, sou eu que sou abençoado e fico feliz em estar fazendo isso". A Bíblia diz que mais feliz e mais alegre é aquele que dá, e não aquele que recebe. Naquele momento, fiquei pensando, temos tanta alegria em receber, contudo, temos a mesma alegria na plantação? Temos a mesma alegria quando estamos plantando na vida das pessoas? Quando um agricultor vai plantar suas sementes, ele tem alegria em estar visualizando uma colheita. Ele planta com alegria porque visualiza uma colheita.

A Bíblia diz que o semear é feito dentro de um ambiente de generosidade, e não em um ambiente de imposição. Ofertamos no reino, não por uma oposição, não com pesar, dado que, ainda que semeemos por fé, precisa ser feito com alegria. Ofertamos por um princípio, e quando é pelo Evangelho, é pela promoção e manifestação da Palavra e do Reino de Deus, não tem um propósito maior, nada é maior que o Evangelho.

Um dia, estava na África, em uma manhã, foi ministrar em uma Igreja que tinha muitas pessoas, na hora da oferta, as pessoas trouxeram o que tinham, algumas pessoas traziam bananas, porcos, milhos, e aquele povo colocava sua oferta em cima da cabeça e vinha dançando com alegria, mesmo na sua profunda pobreza, ele tinha alegria, estava dando o melhor que tinha e fazia com alegria.

SEMEIE COM EXPECTATIVA, VISUALIZANDO SUA COLHEITA.

Se não sentimos alegria em dar, precisamos tratar nosso coração. Se um cristão não tem prazer em semear ou não faz isso com alegria, ele precisa ser tratado, provavelmente há avareza, inúmeros problemas que precisam ser tratados.

Sempre que saio de casa, eu oro a Deus e peço que me dê a oportunidade de poder ajudar alguém, sempre tenho, na minha carteira ou no carro, alguma coisa para dar a alguém, ou para o frentista do posto, ou para os pedintes nas sinaleiras, e não importa para quem estou dando, importa que estou semeando e com alegria, de ter para dar. Precisamos ter alegria em ser provedor, um abraço é provisão, um bom-dia é provisão, o generoso é educado, o generoso é alegre em tudo o que faz, todo generoso é diferente, a Bíblia nos ensina a ter um coração diferente. Jesus foi um doador, Deus é um doador. Quando acordamos, de manhã, Deus nos doa oxigênio, e ser um doador tem de ser a característica de todo cristão, a importância de semear trata o nosso coração.

Em muitas áreas da vida, eu cresci a partir do momento que aprendi a importância de ser um doador e, quanto às ofertas que já dei, me ensinaram e forjaram quem sou hoje. Tem ofertas que plantamos, que colhemos 30 vezes mais do que plantamos, porque não tem a ver com a quantia, mas sim com o coração que damos essa oferta. A Bíblia diz que aquele que anda por fé, que semeia pouco, colhe pouco, se formos o tipo de pessoa que se relaciona com os outros da maneira certa e oferta na vida daqueles que estão ao seu redor, então, colheremos muito mais do que aquilo que plantamos no coração das pessoas. Sejamos semeadores em todas as áreas, em todos os momentos e em tudo o que fizermos.

22

SABEDORIA E CONHECIMENTO TRAZEM RIQUEZAS

Toda pessoa que quiser adquirir a sabedoria de Deus, deve se expor ao pensamento de Deus na Palavra.

Neste primeiro capítulo, discorreremos sobre a necessidade de adquirimos sabedoria e conhecimento para lidar com as nossas finanças. Um assunto tão sério exige que estejamos abertos de coração e mente para as verdades de sabedoria que o próprio Deus compartilhará conosco. Adquirir riquezas a maneira de Deus passa por um processo de sabedoria e conhecimento que não podemos ignorar.

Conselho 1: Sabedoria e conhecimento trazem riquezas

No texto abaixo, Salomão está conversando com Deus. Ele havia recebido do seu pai a tarefa de governar sobre Israel, e a Bíblia narra o sonho que teve e sua conversa espiritual com Deus.

Dá-me sabedoria e conhecimento, para que eu possa liderar esta nação, pois, quem pode governar este teu grande povo? Deus disse a Salomão: Já que este é o desejo de seu coração e você não pediu riquezas, nem bens, nem honra, nem a morte dos seus inimigos, nem vida longa, mas sabedoria e conhecimento para governar o meu povo, sobre o qual o fiz rei, você receberá o que pediu, mas também lhe darei riquezas, bens e honra, como nenhum rei antes de você teve e nenhum depois de você terá.

2 Crônicas 1:10-12

Esse texto é extremamente importante, narra, em duas porções da Escritura, o que nos traz a ideia de sua relevância. Quando leio sobre isso, me vem à mente uma recordação, um momento em que eu estava com meu irmão mais novo e meu pai. Meu irmão estava descontente devido a uma situação desagradável que havia vivido com outro senhor, o que o levou a xingar esse senhor de "burro, ignorante e idiota". Meu irmão era um adolescente nessa época e lembro de meu pai perguntando a ele se esse senhor possuía riquezas, ao que meu irmão respondeu que sim, e ele realmente tinha muitas posses. Diante disso, meu pai falou: "Então, meu filho, ele pode ser muitas coisas, mas não é um idiota."

Nenhuma pessoa que produz riquezas pode ser considerada tola ou idiota. Isso me marcou muito, era a fala de um homem com muitos anos de sabedoria e vivência. A tolice jamais pode produzir riqueza. A pessoa pode ser inculta, não ter escolaridade, porém, ser sábia e produzir riqueza.

Precisamos entender algo: Deus havia dado autoridade a Salomão como rei de Israel, entretanto, ainda não tinha sabedoria nem experiência para esse lugar, e é justamente por sabedoria que ele clama a Deus.

Nesse primeiro conselho, quero compartilhar que, antes de pedir riqueza, pedir que Deus traga bens e posses, devemos pedir sabedoria. Riquezas sem sabedoria podem tornar-se um desastre na mão das pessoas. Antes de qualquer coisa, peçamos sabedoria e instrução para saber nos comportarmos da maneira correta em relação às riquezas.

A sabedoria aprende com o erro e com acerto das pessoas, a sabedoria nos ensina a observar. Pessoas sábias aprendem observando os outros, enquanto os tolos não conseguem aprender de jeito nenhum. A sabedoria tem o poder de expandir a mente das pessoas. Com ela, entendemos o valor de aprender com Deus e com os outros. Quando se trata de aprender com os outros, há uma série de maneiras de como isso acontece: ouvindo ensinos de pessoas mais sábias, fazendo cursos, lendo livros, e se expondo a palavra de Deus.

Toda pessoa que quiser adquirir a sabedoria de Deus, deve se expor ao pensamento de Deus na Palavra. E não só isso, mas expor o seu coração e a sua vida no relacionamento com as Escrituras.

Conselho 2: Viver em sabedoria envolve uma mudança de mentalidade

Paulo aos Romanos fala sobre METANOIA, uma mudança de mentalidade que nos faz experimentar a boa, agradável e perfeita vontade de Deus. Se no ano que estamos vivendo, fazermos as mesmas coisas que fizemos nos anos anteriores, chegaremos aos mesmos resultados. Logo, se queremos uma mudança de Deus em nossas finanças, temos que estar dispostos a ter a nossa mente renovada. A maioria das pessoas querem que as coisas aconteçam ao seu redor sem uma verdadeira mudança interior. Muitos de nós queremos milagres, como ganhar na loteria, por exemplo, que não é nada mais nada menos do que dormir pobre de riquezas e acordar cheio delas. Isso alimenta a nossa imaginação, no entanto, como não houve uma mudança de mentalidade, muitas pessoas que ganham na loteria e ficam ricas do dia para a noite, quase 90% delas acabam ficando mais pobres do que eram antes de serem premiadas. Contraem enormes dívidas e não sabem lidar com os recursos. Algumas, procuram no suicídio uma solução para seus problemas. Isso acontece porque elas podiam ter riquezas externamente, mas não viveram uma mudança de mentalidade internamente.

O livro de Provérbios diz que a sabedoria grita nas praças, quer dizer, há um clamor para que as pessoas sejam sábias.

COMO ADQUIRIR SABEDORIA? IMAGINEMOS QUE É POSSÍVEL COMPRAR SABEDORIA!

Eu me lembro de um episódio em que estava com um amigo, assistindo a um congresso de um pastor que gosto muito, que me ajudou demais na área de liderança, o pastor John Maxwell, que é um dos maiores especialistas em liderança do mundo. Eu estava ouvindo uma palestra dele em um congresso quando ele anunciou um pen-drive com muitas horas de suas pregações e ensinos sobre liderança. Lembro que o pen-drive custava 600 dólares e que saí correndo para comprar, pois havia poucas unidades. O amigo que estava comigo questionou-me se eu realmente pagaria aquela quantia em um simples pen-drive, afinal, era uma quantia razoável. Eu respondi a ele que eu não estava pagando 600 dólares por um pen-drive, estava pagando por anos de sabedoria de um dos maiores líderes do mundo. É necessário se envolver com a sabedoria e não há como fazer isso sem ler livros, ouvir pessoas experientes, fazer cursos e estudar. Em muitos lugares que vamos, as pessoas querem as coisas gratuitamente, não querem que haja algum custo; a grande verdade é que tudo que custa algo, valoriza-se mais.

Conselho 3: Sabedoria deve ser valorizada, então, sabedoria também se compra

Eu lembro quando fui chamado para o ministério e não tinha escola de teologia na minha cidade para que eu pudesse me preparar. Sendo assim, comprei todos os livros que consegui sobre diversas temáticas dentro da teologia. Por que fiz isso? Porque os livros mostram anos de sabedoria e conhecimento que pessoas condensaram em pensamentos menores, para que pudéssemos ter acesso. Eu louvo a Deus por homens e mulheres que produziram esses materiais que serviram de sabedoria para a minha vida.

É importante entender que todo processo de riqueza começa com sabedoria e conhecimento, este encurta caminhos e acelera os processos.

Isso fica nítido quando vemos a história de Moisés passando a governança do povo para Josué. Este havia passado anos próximo de Moisés, aprendendo com sua sabedoria. Quando Moisés estava recebendo os 10 mandamentos, Josué estava no pé do monte, sempre na busca de receber da sabedoria de Moisés. Isso o leva a ser o sucessor na condução do povo a terra prometida.

Meu povo foi destruído por falta de conhecimento. Uma vez que vocês rejeitaram o conhecimento, eu também os rejeito como meus sacerdotes; uma vez que vocês ignoraram a lei do seu Deus, eu também ignorarei seus filhos.

Oséias 4:6

Quando desprezamos o conhecimento, somos destruídos. Não somos obrigados a adquirir conhecimento, todavia, a falta dele traz destruição. Por que as finanças são um dos maiores problemas do povo de Deus? Justamente por falta de conhecimento. Se não recebemos conhecimento e sabedoria, também não conseguimos passar isso para outros. Uma geração que não passa sabedoria a outra pode causar destruição e um legado danoso. É nesse contexto que Oséias escreve.

O livro de Provérbios diz o seguinte:

De que serve o dinheiro na mão do tolo, já que ele não quer obter sabedoria?

Provérbios 17:16

Para que serve a riqueza na mão de pessoas que não têm sabedoria? Só vai fazer mal. Com sabedoria, as riquezas serão bem administradas, enquanto a tolice só gera discussões. A maior de todas as tolices é querermos discutir sobre um assunto que não conhecemos.

Uma das coisas que mais mexeu comigo, na minha caminhada e início do meu ministério, e que me fez buscar conhecimento na Palavra de Deus sobre riquezas, foi que tudo o que eu ouvia ao meu redor não falava acerca das riquezas e das bênçãos de Deus. Eu ouvia muito, até mesmo de pregadores importantes, sobre como era difícil a vida no ministério, como as coisas tinham que ser difíceis, afinal, a vida no ministério trazia pobreza e falta das coisas. Contudo, isso não é e nunca foi o que a Bíblia diz. O ambiente tóxico religioso impede as pessoas de entenderem que Deus quer prosperá-las. Muitas pessoas, que não eram prósperas, queriam ensinar outras a prosperarem e isso era extremamente antagônico. Isso me levou a buscar na Palavra de Deus os princípios corretos referentes à riqueza e passei a perceber que Deus tem o desejo de nos prosperar, principalmente, quando buscamos sabedoria e conhecimento.

Acima de tudo, sejamos pessoas que buscam conhecimento, sabedoria e instrução. Separemos tempo com a Palavra de Deus. Ela tem o poder de quebrar mentalidades, de romper com legados ruins. Talvez venhamos de contextos em que nossos pais não deram certo com finanças, nossos avós não prosperaram, mas isso pode e tem que parar. Precisamos passar por uma renovação de mentalidade.

O mundo está aí para tentar alimentar o fluxo de pobreza e derrota, enquanto Deus está esperando-nos do outro lado para encher-nos de sabedoria e conhecimento do alto.

Tempos de crises são tempos de homens e mulheres de Deus vencerem. José venceu na crise, Isaque venceu na crise. Tempos assim são oportunidades de prosperar. Se Deus nos colocou nessa estação e estamos em um período de crise é para que possamos vencer e ajudar outras pessoas a vencerem. Se tem crise no mundo, essa é a nossa oportunidade. A sabedoria constrói riquezas e as riquezas constroem projetos, portanto, antes de qualquer coisa, precisamos pedir sabedoria, ela nos fará ser um homem e uma mulher prósperos em nome de Jesus.

23

A HUMILDADE PRODUZ RIQUEZA

A humildade é um estado do caráter e não de condição social.

Um dos pontos dentro do caminho de possuir a bênção das riquezas de Deus é a humildade. Ela deve fazer parte do nosso caráter e das nossas vidas. Muitos cristãos já me questionaram: Pastor, eu dizimo, eu oferto, eu sou generoso, por que não prospero? Eu sempre respondo que apesar desses fundamentos serem extremamente importantes, dizimar, ofertar, primícias, há outros fatores que precisam ser lembrados na construção de uma vida abundante. A Bíblia nos ensina muitos outros fatores que vão ajudar na construção do nosso caráter e vão cooperar para o nosso desenvolvimento financeiro.

Prosperidade, na Bíblia, não tem somente relação com dizimar e ofertar, mas com um conjunto muito mais amplo de transformação de caráter. Quando o caráter de Cristo é construído em nós, podemos, sim, prosperar. A prosperidade bíblica não diz respeito, exclusivamente, a dinheiro, e sim sabedoria e humildade. E é sobre a humildade que falaremos nesse terceiro conselho.

Abaixo, uma parte da história do Rei Ezequias para aprendermos sobre humildade:

Então Ezequias humilhou-se reconhecendo o seu orgulho, como também o povo de Jerusalém; por isso a ira do Senhor não veio sobre eles durante o reinado de Ezequias. Possuía Ezequias muitíssimas riquezas e glória; construiu depósitos para guardar prata, ouro, pedras preciosas, especiarias, escudos e todo tipo de objetos de valor. Também construiu armazéns para estocar trigo, vinho e azeite; fez ainda estábulos para os seus diversos rebanhos e para as ovelhas. Construiu cidades e adquiriu muitos rebanhos, pois Deus lhe dera muitas riquezas. Foi Ezequias que bloqueou o manancial superior da fonte de Giom e, canalizou a água para a parte oeste da cidade de Davi. Ele foi bem-sucedido em tudo o que se propôs a fazer.

2 Crônicas 32:26-30

A primeira coisa que podemos observar é que o sucesso de Ezequias veio, precisamente, por sua condição de humilhação. A Bíblia diz que ele, juntamente com o povo de Jerusalém, se humilhou diante de Deus e isso produziu um ambiente de prosperidade sobre o seu reinado. Ezequias foi coroado de honra, riquezas, sabedoria e provisões. Foi um rei que se humilhou na presença de Deus.

Para começar, precisamos fundamentar o que é realmente humildade. Isso é necessário porque dentro de nosso linguajar, mormente, na Língua Portuguesa, humildade tem a ver com pessoas que são desprovidas de bens ou de escolaridade. Condicionamos humildade à pobreza. É um conceito equivocado de humildade. Nem sempre, o fato de alguém não possuir bens faz dessa pessoa alguém humilde. Nem toda pessoa destituída de bens é humilde, possivelmente, a razão para ela não possuir riquezas está exatamente na sua falta de humildade.

A HUMILDADE É UM ESTADO DO CARÁTER E NÃO DE CONDIÇÃO SOCIAL.

Tiago, em sua epístola, nos traz uma das mensagens apostólicas mais duras, porém, mais coerentes. Ele fala do pobre quando colocado em uma condição de honra, que não deve tentar produzir falsa humildade, tentando dizer que não merece aquele lugar que está sendo colocado e, da mesma maneira, o rico que está em altas posições não deve pensar que está lá por ser superior aos outros. A humildade, como condição do nosso caráter, está relacionada a capacidade de se humilhar para receber de outros. Estamos falando, acima de tudo, em nos humilhar na presença de Deus para poder receber do próprio Deus. A pessoa humilde sempre estará pronta para ouvir e aprender. Não importa o quanto ela sabe sobre um determinado assunto, se for humilde vai querer continuar aprendendo. Por isso, alguém que fala muito de tudo e quer sempre ser melhor que os outros, provavelmente, é destituído de verdadeira sabedoria.

A HUMILHAÇÃO É UM ATO DE SE SUBMETER, RECEBER E APRENDER.

O primeiro nível de humilhação é diante do próprio Deus. O "EU" nunca deveria vir em primeiro lugar. Pessoas que não conseguem se submeter, receber e aprender primeiramente de Deus e depois de outros, não são humildes. Em uma classe, os alunos mais humildes não são os que tem menos condições, se vestem com roupas mais simples, são aqueles que mais se submetem ao aprendizado que está sendo proposto. Os melhores alunos são aqueles que mais recebem no período que estão aprendendo, porque se submetem ao que está sendo ensinado. Diferentemente, há pessoas que são orgulhosas, logo, não conseguem se submeter ao que está proposto e ensinado a elas.

Em uma ocasião, em que eu ainda morava em São Paulo, tínhamos o nosso escritório no centro cidade. Eu atravessava a região mais rica da cidade e, por consequência, a mais rica do Brasil, para chegar ao meu escritório. Em um semáforo desse bairro, sempre havia o mesmo mendigo pedindo esmola para os carros que ali paravam, a maioria deles, carros de luxo. Fiquei pensando porque aquele mendigo passava por aquela situação em um lugar onde todos os dias passavam as pessoas mais ricas da cidade. Fiquei pensando por que o mendigo se torna uma pessoa que não cresce, não evoluí e, muitos deles, acabam por nunca saírem daquele estado. Quando somos abordados por mendigos pedindo esmola para comprar pão, leite, mesmo que saibamos que, na maioria das vezes, é para os seus vícios, tentamos, ao invés de dar dinheiro, dar um conselho de como ele poderia mudar de vida? Provavelmente xingariam e iriam pedir esmola em outro carro. Por que isso acontece? Possivelmente, é exatamente a falta de humildade que o levou a esse lugar. Quantos homens e mulheres poderosos devem ter passado por aquele mendigo e tentado dar um conselho para que pudesse sair daquela situação e foram ignorados por não darem o que ele queria. Talvez, aquele e outros mendigos rejeitem um conselho, uma palavra de sabedoria que poderia tirá-los daquela situação.

A SITUAÇÃO DE MENDICÂNCIA NÃO COMEÇA EM UM SEMÁFORO, COMEÇA NUM CORAÇÃO QUE NÃO ESTÁ DISPOSTO A CRESCER.

Muitos mendigos não tiveram oportunidades de receber instrução do pai, do professor, ou de alguém sábio em sua história. É fato que há, muitos deles, que mesmo recebendo essas instruções, as rejeitaram, e isso os levou a viver no estado em que se encontram hoje. Quantos não tiveram humildade para crescer na vida e serem transformados por causa de sua falta de humildade.

O dia que pararmos de nos humilhar, paramos de aprender, e o dia que paramos de aprender, deixamos de crescer.

Mais alguns pontos para acrescentar:

1. Deus pode nos proteger através da humildade

Deus não protege orgulhosos, porque orgulhosos não se submetem. A Bíblia diz, em Jó 5:11: *"Os humildes, Ele os exalta, e traz os que pranteiam a um lugar de segurança."* Há uma ação de Deus sobre um coração humilde. A humildade nos protege do orgulho e da destruição que ele traz. Não podemos esquecer o fato de que tudo que crescemos na vida foi porque alguém nos ensinou. Se o nosso caminho se desenvolve para o mal foi porque, supostamente, alguém nos instruiu para o mal, se fomos para o caminho do bem, alguém nos instruiu para o bem. Ninguém nasce sabendo, temos que ser gratos por todos que nos ensinam em nossa caminhada. Gratos aos pais, professores, pessoas ao nosso redor que nos aconselharam e instruíram. A humildade também nos protege da arrogância. Quando nossa posição acaba por fazer-nos achar que somos melhores que os outros, toda instrução que recebemos, tudo que aprendemos, que nos leva a crescer, não é para que nos achemos melhores que outros, porque Deus não trabalha com acepção de pessoas.

O MUNDO TRABALHA COM COMPETIÇÃO, DEUS TRABALHA EM NÓS PARA QUE SEJAMOS MELHORES QUE NÓS MESMOS.

Tendo habilidades para que possamos servir uns aos outros.

Eu não estudo a Bíblia, leio, faço cursos para ser um pregador melhor do que outro pregador que é meu irmão, eu busco ser, a cada dia, melhor do que eu já fui.

Tudo o que aprendo é para que eu possa ser melhor a cada dia, tendo mais condições de servir aos outros.

2. A humildade nos protege da falsidade

Quando vem o orgulho, chega a desgraça, mas a sabedoria está com os humildes.

Provérbios 11:2

Há pessoas que são falsas, e isso é uma desgraça. Paulo, quando vai ensinar a Igreja, ele crítica a falsa religiosidade, isso acontece quando nos colocamos no lugar de uma pessoa que não somos. Isso é fingimento religioso. Tentar dizer que estamos na qual não estamos pela sensação de nos sentirmos superiores aos outros.

A humildade nos coloca dentro de um escudo de Deus para nos proteger desses três fatores de destruição: o orgulho, a arrogância e falsidade.

3. A humildade antecede a honra

Se ansiamos ser honrados dentro dos nossos relacionamentos, não devemos exigir e gritar por honra, mas sim ser humilde. Por quê? Porque a humildade nos leva a servir as pessoas.

O temor do Senhor ensina a sabedoria, e a humildade antecede a honra.

Provérbios 15:33

4. A humildade faz-nos desfrutar e viver bem

Quem é humilde consegue viver bem com aquilo que tem, sem nunca deixar de aprender, receber e se submeter.

Mas os humildes receberão a terra por herança e desfrutarão pleno bem-estar.

Salmos 37:11

Bem-aventurados os humildes, pois eles receberão a terra por herança.

Mateus 5:5

Os humildes desfrutam das bênçãos de Deus. Jesus, no sermão da montanha, estava ensinando seus discípulos, que aqueles que se submetem a aprender, estão aptos para receber as bênçãos de Deus e administrá-las sem se tornarem arrogantes e soberbos. Muitas pessoas não recebem o que poderiam receber e não vivem o que poderiam viver porque não são humildes. Trabalham dia e noite, entretanto, não desfrutam da vida.

O ponto central deste conselho é que a humildade vai nos proteger, produzirá sabedoria e acabará produzindo riquezas em nossa vida. Pessoas precisam sempre estar dispostas a aprender. Nunca sabemos o suficiente sobre tudo, sempre temos a oportunidade de aprender mais. Os humildes estão sempre em crescimento, e para estar em crescimento precisam sempre aprender. Que tenhamos sempre um coração ensinável.

24

SABEDORIA E RIQUEZA ANDAM JUNTAS

A sabedoria acelera os milagres de Deus nas riquezas.

Eu tenho estado extremamente animado enquanto escrevo porque sei que Deus está fazendo um desenho novo em nosso coração no tocante às finanças. Agora, falaremos sobre um assunto muito importante e uma união indissolúvel. Sabedoria e riquezas andam juntas. O texto da Palavra de Deus que vamos usar para iluminar o nosso coração é Provérbios (3:16) que diz:

Na mão direita, a sabedoria lhe garante vida longa; na mão esquerda, riquezas e honra.

Provérbios 3:16

Nesse trecho, temos uma figura de linguagem que fala acerca de posses. Algo que está em nossas mãos e podemos manusear. Algo que podemos segurar e controlar. Essa figura de linguagem está dizendo que temos a posse de sabedoria na mão direita, o que nos garantirá vida longa, riquezas e honra na mão esquerda. Esse texto também aponta para uma verdade que já trabalhamos aqui. Devemos utilizar a sabedoria para adquirir riquezas. A sabedoria não só vai produzir-nos vida longa, como também vai gerar riquezas e honra. Quem é sábio, produz riquezas em qualquer ambiente. Riquezas sem sabedoria se tornam um desastre na vida de uma pessoa.

Tenho falado de muitas pessoas que ficaram ricas de um dia para o outro através de loterias e que terminaram a vida muito mais pobres do que antes de ganhar aquele dinheiro. Isso acontece porque não houve um processo de crescimento em sabedoria na vida dessas pessoas. Falando de finanças, temos que apontar e enfatizar sobre a importância da sabedoria. Vamos falar um pouco sobre isso.

No mundo das aplicações financeiras, as mais seguras tratam-se de aplicar o dinheiro em fundos de ouro. É um tipo de aplicação mais garantida. O lastro para os países contabilizarem suas riquezas é sempre a partir do ouro. Ainda que, no mundo, de modo geral, olhamos para o ouro como a melhor aplicação, a Bíblia diz que a sabedoria é melhor do que o ouro. A sabedoria rende mais que o ouro. Isso não é só algo do passado bíblico. Deus é Deus de passado, presente e futuro. Ele não é pego de surpresa com as inovações do mundo moderno. Ele é a fonte de tudo isso e se mantém soberano sobre todo o universo. Então, quando a Bíblia fala que a sabedoria é mais importante que o ouro, é algo mais atual do que nunca. Observemos:

Pois a sabedoria é mais proveitosa do que a prata e rende mais do que o ouro.

Provérbios 3:14

É extremamente importante termos boas aplicações em ouro, não obstante, mais do que isso, é imperioso investirmos em sabedoria. A sabedoria permite que vejamos as coisas antecipadamente e tenhamos previsões do que vai acontecer aproveitando as oportunidades primeiro do que os outros. Todo homem ou mulher que teve sucesso em alguma área da vida foi porque enxergou oportunidades antes dos outros. Estes são os melhores, haja vista que conseguiram andar a frente do seu tempo.

Recentemente, assisti um filme que conta a história de como começou a maior hamburgueria do mundo, o McDonald's. Eles cresceram em cima da necessidade de se produzir lanches mais rápidos, com linhas de produção que entregavam os lanches prontos em poucos minutos. Foi esse o grande diferencial que fez com que se tornasse a grande empresa que é hoje e, depois de tantos anos, ainda domina o mercado. Era uma necessidade que o mundo tinha, que algumas pessoas conseguiram enxergar antes que os outros e não somente antes, como enxergaram a grande a oportunidade de aquilo dar certo. As oportunidades para fazermos riquezas estão por aí e a sabedoria faz com que enxerguemos elas antes do outros.

Gosto muito da história de Aristóteles Sócrates Onassis, que foi um empreendedor grego, dono de grandes navios petroleiros. Este homem foi, durante décadas, o homem mais rico do mundo, pois conseguiu enxergar uma necessidade antes que os outros. Onassis descobriu que o mundo iria se mover por petróleo. Por mais que fosse um homem pobre, enxergou que o mundo caminharia por essa direção e construiu o primeiro navio. A partir daí, enriqueceu transportando petróleo para todos os lugares do mundo. Certa ocasião em que estava sendo entrevistado, perguntaram a ele: "Onassis, conte-nos de maneira simples, como você foi de um simples homem ao mais rico do mundo?" Para responder, deu uma rápida olhada no cenário e viu, ao longe, uma pequena garrafa de água em um canto e respondeu ao entrevistador: "Você está vendo aquela garrafa de água?" Todos, no estúdio, começaram a procurar, até que acharam. O câmera também localizou e focou na garrafa. Quando todos encontraram, ele explicou: "Bom, vocês, agora, estão vendo a garrafa, mas o meu diferencial é que eu vi primeiro." A riqueza desse homem foi construída porque ele tinha a sabedoria de ver primeiro.

Sim, as oportunidades estão aí, e estão para aqueles que veem primeiro. Nós temos uma vantagem, porque servimos ao Deus que não é preso ao tempo como somos, um Deus que conhece o futuro, que sabe a direção que o mundo vai tomar e que pode iluminar o nosso coração para enxergarmos essas oportunidades. Quem enxerga as oportunidades primeiro tem a chance de avançar mais do que os outros. Isso é sabedoria profética, um conhecimento profético que Deus pode liberar para abençoar-nos.

1. A sabedoria acelera os milagres de Deus nas riquezas

Dentro de um ambiente de sabedoria, podemos ter uma ideia a qual mudará completamente nossa história financeira. O senhor nos dá algo em que não temos noção que pode nos tornar. Há anos, fazíamos uma reunião chamada Atmosfera de Adoração, que nasceu do simples desejo de termos um ambiente de profunda devoção e adoração do Senhor. Um ambiente de intimidade com cânticos de louvor, expressões de rendição, onde poderíamos, livremente, adorar a Deus. Fizemos aquela reunião por anos em nosso ministério. Escrevíamos e cantávamos canções que exaltavam a majestade de Deus, a grandeza de Deus, enfim, canções que cantavam quem Ele é. Certa vez, as pessoas começaram a nos pedir para gravamos aquelas canções. Elas queriam levá-las para casa e poder adorar a Jesus, cultivando aquele ambiente no seu quarto de oração. Decidimos gravar o CD Atmosfera de Adoração. No ano de 2000, fizemos 5 mil unidades daquele CD, que foram vendidas em uma semana. Fizemos uma segunda tiragem, com 50 mil unidades, rapidamente se esgotaram. Tomou uma proporção gigante a ponto de ir para outras nações, através da banda Atmosfera de Adoração que tocou muito o ambiente de louvor e adoração do Brasil. Esse CD tocou milhares e milhares de pessoas ao redor do mundo. No ano de 2010, quando já estava em queda CDs e DVDs, por causa das mídias digitais, uma empresa nos procurou para comprar os direitos. Na época, a negociação foi em torno de 1 milhão de dólares. Com aquele valor, o Senhor nos abençoo muito, e parte do que temos, hoje, é oriundo disso. Pensemos no que isso me custou?

Me custou uma ideia. Uma ideia que Deus nos deu acelerou o processo de finanças em nossas vidas de uma forma extraordinária.

A sabedoria de Deus pode criar uma ideia em nosso coração e não temos noção de onde essa ideia pode nos levar. Uma ideia que abençoou tantas pessoas ao redor do mundo e, também, nos abençoou, como casa e família, nos dando a condição de adquirir bens.

A SABEDORIA DE DEUS ENCHENDO NOSSO CORAÇÃO E CRIANDO UMA IDEIA ACELERARÁ OS MILAGRES DE DEUS NAS NOSSAS FINANÇAS.

Todos os homens bem-sucedidos na vida, que hoje tem os maiores conglomerados do mundo, começaram com uma ideia. O produto vem depois, tudo sempre começa com uma ideia.

2. A sabedoria será nossa conselheira para prosperar

Sem o conselho da sabedoria é muito difícil alguém prosperar. Em todas as áreas da vida. Uma pessoa que não é sábia, não prospera no casamento, na família, na criação de filhos, e, com certeza, também não prospera nos negócios. Em todos os ambientes, estará limitada ao seu esforço próprio a partir de uma natureza caída. A partir da natureza caída e de seus efeitos jamais poderemos prosperar. Quando estamos em Deus, nascemos de novo e vemos nossas vidas desde o evangelho, temos a mente de Cristo, temos o profético de Deus a nosso favor. Com a mente de Cristo em nós, podemos adquirir a sabedoria que será nossa conselheira para prosperarmos.

Um dia, eu estava negociando um apartamento em São Paulo, porque queria morar mais perto do Aeroporto de Congonhas, afinal, viajávamos quase todos os dias para pregar o evangelho em algum lugar do Brasil. Quando cheguei à imobiliária para falar com o corretor, um senhor, já mais de idade, acabou por me contar que estava se separando da esposa, mais velha, para se juntar a uma moça bem mais nova. Como pastor, ouvi tudo o que ele tinha a dizer até me perguntar o que eu achava. Quando me perguntou isso, respondi aquilo que eu realmente acreditava, como pastor, como alguém que crê na Bíblia como Palavra de Deus e que se move a partir da vontade de Deus. Fui o mais sincero possível com aquele homem, dizendo que a moça mais nova com quem ele queria se juntar só estava com ele por causa das suas riquezas. A esposa, que ele reclamava de ser velha, chata e outra coisas, o havia ajudado a conquistar tudo o que tinha, enquanto a moça nova, que viria, só iria desfrutar disso. De um modo bem corajoso, o aconselhei a fazer um teste e chegar para a moça nova e falar que ele havia falido, entrou em um mal negócio, e todas as suas finanças foram embora. Dei esse conselho e fui embora, não acreditando muito que ele faria. Dias depois, ligou-me, desesperado, querendo conversar comigo. Disse que havia seguido o conselho e falado para a moça que havia perdido tudo. A moça, imediatamente, disse que ele realmente não tinha mais nada, nem ela mesma e foi embora. A ficha daquele homem caiu, se reconciliou com a esposa. Aquele homem ficou tão grato pelo conselho que queria de algum modo me recompensar.

Eu disse que não precisava de nada, mas ele insistiu. Deixamos isso passar e continuamos a negociação do apartamento. Vendi o meu e queria comprar um apartamento a 10 minutos do aeroporto de Congonhas, todo mobiliado e completo, o nosso sonho de consumo. O apartamento era muito caro e distante do que podíamos pagar. Aquele homem, de tão grato que ficara pelo conselho, fez uma negociação incrível para que pudéssemos comprar o apartamento. Compramos e, alguns anos depois, quando fomos vender o apartamento para comprar uma propriedade na América do Norte e no Sul do Brasil, vendemos por 1 milhão de dólares. Tudo isso aconteceu por causa de um conselho oriundo da sabedoria de Deus. Um conselho de acordo com a sabedoria abriu porta para essa construção de riquezas. É essa sabedoria que rende mais que o ouro. O conselho de Deus, a sabedoria que provem dEle e de Sua palavra vai produzir a capacidade de não somente adquirirmos riquezas, todavia, de administrá-las e multiplicá-las. Sempre, sabedoria e riquezas vão andar juntas. Nunca devemos buscar riquezas sem, antes, buscarmos o conselho e sabedoria de Deus.

25

RIQUEZA E PROSPERIDADE DURADOURAS

Se não temos um plano feito debaixo da sabedoria de Deus em nossas vidas, certamente, o diabo encontrará lacunas para nos levar a viver seus planos diabólicos.

Comigo estão riquezas e honra, prosperidade e justiça duradouras.

Provérbios 8:18

Nós vivemos num mundo onde tudo pode ser, de alguma forma, corrompido, destruído, um mundo onde tudo pode estragar. Um mundo que a traça e a ferrugem destrói a todo momento. Podemos dar fim, de algum modo, a tudo que construímos. No entanto, mesmo nesse mundo que tudo se destrói, nós podemos construir riquezas e prosperidade que sejam duradouras. O texto está falando de coisas que podemos construir e que Deus pode perpetuar por gerações. A Bíblia fala que Abarão foi muito rico, e seu filho e seus netos também foram muito ricos. A partir de seu neto Jacó, a promessa de uma grande nação se cumpriu. José, filho de Jacó, também foi um homem muito poderoso quando governou o Egito. As perguntas que ficam são: Como fazer com que aquilo que construímos na área das finanças não se evapore? Como não deixar que as nossas riquezas sejam consumidas e se acabem?

Quando olhamos para a história, veremos pouquíssimos casos em que a riqueza se perpetuou para várias gerações posteriores. Normalmente, famílias muito ricas, com raras exceções, tendem a três ou quatro gerações depois não ter mais toda a riqueza que tinham. Isso acontece exatamente por muitos não conhecerem alguns princípios no que tange a construção e manutenção das riquezas. Os pais podem deixar riquezas aos filhos, se não elaborarem um plano para que os filhos multipliquem essa riqueza, na segunda geração, tudo evaporará.

Eu quero compartilhar isso com quem lê este livro porque é uma promessa de Deus que não somente nós, porém, nossa descendência também seja abençoada. Nossa descendência também pode usufruir das nossas construções de riquezas e, ainda mais, podem multiplicá-las. A Bíblia fala que os pais que entesouram para os filhos. Hoje, entesouramos para o nosso filho, amanhã ele será pai e vai entesourar para os seus netos e assim continuamente. Nós temos que crer que podemos viver nesse ambiente de promessa. Temos que crer que o que conquistamos não vai escapar das nossas mãos.

PRIMEIRO DE TUDO: PRECISAMOS TER UMA PLANO

O livro de Provérbios é um livro de sabedoria da Bíblia. Todo homem e toda mulher devem beber da sabedoria de Provérbios. Eu aconselho a ler, todos os anos, duas ou três vezes, essa sabedoria pode nos abençoar muito. Esse livro traz luz e sabedoria de Deus ao nosso coração, ao ponto de percebermos que, muitos erros que cometemos, deve-se a fato de não darmos atenção aos conselhos ali expostos. Esse livro traz muitos conselhos na área de finanças. Verifiquemos essa palavra de sabedoria:

Os planos bem elaborados levam à fartura; mas o apressado sempre acaba na miséria.

Provérbios 21:5

Qual é o nosso plano? Ninguém conquista nada sem um plano. Pode até acabar conquistando por uma circunstância favorável da vida, contudo, sem um plano, rapidamente, tudo se perde. Um plano levar-nos-á a pensar e fazer perguntas como: "Quanto tempo tenho nessa terra"? Bom, imaginemos que viveremos em torno de 70 anos. Como viveremos esses 70 anos? Como queremos terminar nossa vida? Lógico que sabemos que as circunstâncias podem alterar partes do plano, de qualquer forma, nada nos impede e a Bíblia não nos diz que não devemos planejar. Planos bem elaborados trazem fartura. Não importa o que possuímos agora, sem um plano, poderemos ou perder tudo ou continuar sem nada. Lembremo-nos que a maior de todas as ignorâncias é continuarmos praticando as mesmas coisas e esperarmos resultados diferentes. Se queremos resultados diferentes, precisaremos planejar de modo diferente.

A Bíblia garante que os planos bem elaborados levam à prosperidade.

Eu morei nos EUA durante um período da minha vida, e algo muito comum na cultura americana é que eles não fazem nada com você se você não tiver um plano. Você pode convidar um americano para participar de uma grande ação, de um grande projeto, se você não tiver um plano de ação, ele não abraçará. "Do you have a plan?" É algo que sempre está na boca dos americanos antes de se envolverem em qualquer coisa. É muito importante termos, pelo menos, uma noção de para onde estamos indo.

TEMOS PLANOS SOBRE OS NOSSOS GANHOS?

Há muitas pessoas que não planejam a partir de quanto ganham e nem de quanto querem ganhar. Os espertos, desse mundo, sempre têm plano em relação às suas finanças. Lembro da propaganda de um banco famoso que, alguns anos atrás, usava, como slogan: "Nós temos um plano para o tamanho das suas finanças". Ou seja, se você ganha um salário-mínimo, temos um plano para você. Se você é um empresário famoso com muitas posses, também temos um plano para você. As grandes lojas, que fazem parcelamentos em 24 ou 36 vezes, de algum sutilmente, estão tirando dinheiro dos clientes. Enquanto pensamos que estamos sendo beneficiados porque podemos comprar e ir pagando parcelado, os juros que estão embutidos fazem com que paguemos mais caro do que à vista. De alguma forma, essas lojas estão roubando horas e mais horas do nosso trabalho durante os anos que estivermos envolvidos com essa parcela. Sem percebermos, parte da nossa vida está presa a eles nesse período. Eles têm um plano e, por isso, possuem os maiores conglomerados da nação. Agora, se não tivermos um plano em nossas finanças, aqueles que têm estarão ali para nos tomar. Reflitamos: se essas grandes lojas e empresas estão interessadas nas nossas finanças a longo prazo, por que nós não estamos?

Não importa quanto ganhamos, precisamos começar, hoje mesmo, a elaborar um plano. Isso vai evitar que fiquemos presos em dívidas, sem desfrutar da vida que o Senhor nos concede. A lógica é simples, vamos gastar horas de trabalho para pagar mais caro por um produto, por conseguinte, essas empresas estão tirando um dinheiro que poderíamos gastar em outras oportunidades, ou para investir, ou em nosso próprio bem-estar. Enquanto muitas dessas empresas estarão em uma sala com ar-condicionado, nós estaremos trabalhando para tentar sair daquela prisão da dívida de 36, 48 ou, às vezes, até 60 vezes. Isso tudo porque eles elaboraram um plano que não elaboramos.

QUANTAS PESSOAS DESENVOLVERAM O MAU HÁBITO DE NÃO TER UM PLANO E, POR ISSO, SÃO REFÉNS DOS PLANOS DOS OUTROS.

Não podemos ser reféns dos planos desse mundo. Grande parte das coisas ruins que acontecem no mundo vêm de planos daquele que a Bíblia chama de príncipe das trevas ou o "deus" deste século (2 Cor 4). Um plano para deixar as pessoas longe da vontade e bênção divinas para as nossas vidas. Um plano para deixar as pessoas estressadas, endividadas, depressivas, escravizadas, trabalhando e não vendo o fruto desse trabalho.

Se não temos um plano feito debaixo da sabedoria de Deus em nossa vida, certamente, o diabo encontrará uma lacuna para fazer vivermos os planos dele. Para termos finanças duradouras precisamos ter um plano duradouro. O mundo sempre terá um plano. E nós?

Quando atentei para isso, descobri que, até aquele momento, eu havia trabalhado somente para os outros. Eu trabalhava muito e não usufruía do fruto do meu trabalho. Meu trabalho ia embora em dívidas, juros e outras prisões. Quando descobri que precisava elaborar um plano, todas as coisas mudaram. Hoje, por exemplo, tenho um plano para uma década. Tenho planejamentos financeiros que compreendem um período maior. Mas, e se Deus me levar antes? Amém! Minha vida está toda nas mãos do Senhor! Se ele me permitir viver mais esses 10 anos eu preciso ter a consciência de que sou livre e estou bem planejado.

O que vamos fazer com as nossas finanças? Temos que sempre ter respostas para essas pergunta. Plano para férias, para investimentos, para emergências. Dentro das possibilidades de ganho de cada um é necessário ter um plano.

1. Toda pressa em fazer riqueza tende a ser traída pela ganância e pela avareza

Riqueza se conquista do dia para a noite. Inicialmente, precisamos de um tratamento de Deus em nossa mente e coração para que possamos, não somente adquirir, devemos administrar, multiplicar e usufruir de riquezas.

Notemos que muitas pessoas que ficam ricas do dia para a noite se perdem moralmente, na vida emocional, ou abandonam a família, perdem seus casamentos e outras questões. Isso aconteceu porque não foram treinadas para lidar com a riqueza. Caem em golpes, em pirâmides e outras coisas; ao acordarem, percebem que foram movidos pela ganância.

A ganância cega as pessoas para não notarem uma realidade de engano que está diante dos olhos delas. O que leva a uma pessoa a acreditar que é possível enriquecer do dia para noite, de modo fácil, sem trabalho? A pressa leva à miséria. A ganância e a avareza nos impedem de criar fundamentos e raciocínios para lidar com as riquezas. O Salmo 1 traz que a pessoa bem-sucedida é aquela que tem raízes profundas. É como a árvore plantada junto aos ribeiros das águas, que na estação certa dá o seu fruto. Há tempo para todas as coisas. Tudo o que essa pessoa fizer a levará a ser próspera. Por quê? Porque ela tem raízes e fundamentos.

ALGO FRUTÍFERO SEMPRE SERÁ ALGO BEM FUNDAMENTADO.

Pessoas que crescem e elaboram planos financeiros fazem pensando a longo prazo. Construir finanças saudáveis não é do dia para a noite e não funciona a curto prazo.

Para iniciarmos um plano não precisamos de muito. Muitas pessoas perguntam: "Pastor, eu tenho pouco, como começar a juntar, como elaborar planos financeiros de longo prazo"?

Tudo começa com pouco. Um bom planejamento financeiro pode começar com poucas moedas. Aprender a planejar e guardar com as pequenas quantidades vai começar a fundamentar, no seu coração, uma sabedoria sobre finanças. As pequenas lições servirão de exercício para que, no futuro, estejamos aptos a lidar com maiores recursos. Se fomos sábios para saber como e quando comprar um pequeno rádio, teremos sabedoria para saber comprar um carro ou um imóvel. Quem não aprende a fazer pequenos negócios, dificilmente saberá lidar com grandes negócios. Olhemos para José, ele não se tornou governador do Egito porque tinha experiência de administrar outras grandes nações. Começou como um escravo, que ganhando a confiança do seu senhor – Potifar, passou a administrar a casa. Mesmo diante da falsa acusação da mulher de Potifar e sendo preso, ganhou a confiança do carcereiro, passou a administrar a prisão. Isso foi sendo construído na vida de José a ponto de ele ser colocado como governador da maior nação do mundo antigo. A sabedoria de José foi sendo construída aos poucos.

Comecemos poupando e planejando com o pouco que temos.

2. Prosperar e enriquecer deve ser procedido de justiça

Nós não podemos prosperar de qualquer maneira. Deus odeia a injustiça. Em relação às nossas finanças, temos que andar pelo caráter de Deus. No Brasil, há um costume de sempre querermos tirar vantagem. Sempre tem alguém querendo dar um jeitinho para tirar uma lasquinha do outro. É o patrão em relação ao empregado, é o comerciante em relação ao comprador. Todo o nosso desejo de prosperar deve ser dentro de uma justiça divina. São nas pequenas coisas que mostramos o caráter de Deus em nós.

Certa vez, fomos numa padaria, eu e minha esposa, para comprar um bolo que a minha esposa gosta. Escolhemos os bolos e a compra deu R$ 160,00 reais. Quando fomos pagar, eu não olhei na máquina do cartão o valor digitado. Apenas coloquei a senha e finalizei a compra. Sempre tenho o costume de olhar, naquele dia não olhei. Compramos e viemos para casa. Quando abri o aplicativo do cartão, que mostra todas as compras, vi que, daquela compra, tinha descontado apenas R$ 1,60. Liguei para a padaria e disse que eles haviam me cobrado errado. Eles, num primeiro momento, disseram que não, mas insisti. Eles estavam achando que tinham me cobrado a mais, ao que, rapidamente, expliquei que havia comprado uma quantidade de bolos e que eles me cobraram muito menos. A mulher do telefone ficou totalmente chocada e impactada com a situação. No dia seguinte, fui até o estabelecimento e paguei o valor real dos bolos. A mulher ficou tão grata, disse para mim que não se via mais pessoas assim no mundo. Fiquei pensando que esse deveria ser o normal das pessoas. Isso deveria ser nossa conduta natural. Eu poderia tirar vantagem, entretanto, não era o correto. Eu tenho que pleitear por aquilo que é meu e por aquilo que é correto. Deixar passar e ter todos aqueles bolos por apenas R$ 1,60 não revelaria o caráter de Deus em mim.

Portanto, nossa prosperidade deve ser precedida de justiça. Nisso, o diabo nunca terá nada do que nos acusar, e podemos ser justos diante de Deus e dos homens.

26

GENEROSIDADE AUMENTA RIQUEZA

Pela generosidade de Deus em nos conceder a graça, somos chamados a também vivermos de modo generoso.

Há quem dê generosamente, e vê aumentar suas riquezas; outros retêm o que deveriam dar, e caem na pobreza.

Provérbios 11:24

Precisamos compreender o ensino da Palavra de Deus a esse respeito. No Antigo Testamento, Deus tenta ensinar a arte de semear e plantar por intermédio de leis. As leis tinham o propósito de sinalizar a vontade de Deus. A lei era como uma indicação que trabalhava de fora para dentro. A partir do Novo Testamento, com o ministério de Jesus e a nova aliança na graça, vemos um padrão diferente sendo estabelecido. No Novo Testamento vemos a atuação da graça e da presença de Deus. Pelo Espírito Santo, Ele habita dentro de nós. Mais do que uma lei que vem de fora, agora, Deus nos transforma por dentro. Ele nos chama a sermos generosos por natureza. A graça dentro de nós representa a vontade de Deus para nós. Deus quer fazer de nós pessoas generosas. Nossa experiência, agora, não é somente com representações do que é a vontade de Deus, e sim a graça operando dentro de nós, nos revelando qual é essa vontade. Tudo que tinha um significado na lei, agora, tem uma ressignificação pela graça. Pela graça, tudo se tornou mais aplicável em nossas vidas, pois não é mais uma sinalização do que Deus quer, todavia, o poder de Deus em nós para vivermos o que Deus quer. Pela generosidade de Deus em nos conceder a graça, somos chamados a também vivermos de modo generoso.

Quando há essa graça de Deus em nós, vários aspectos de nossas vidas serão tratados. A começar pelo caráter, nosso interior, princípios e fundamentos que regem a nossa conduta como seres humanos.

Os ímpios tomam emprestado e não devolvem, mas os justos dão com generosidade;

Salmos 37:21

Quando a Bíblia fala de ímpio, está falando de pessoas que não têm compromisso e aliança com Deus. Eles não representam Deus. Uma pessoa que não se deixa ser transformada no seu caráter pela generosidade de Deus, se torna uma pessoa avarenta.

Recebo muitas mensagens nas redes sociais de pessoas que emprestaram dinheiro para alguém que nunca devolveu. Penso que isso é quase que um roubo à luz, uma vez que usou de certa confiança para pegar algo emprestado e não devolver. A Bíblia diz que isso é uma atitude de ímpios, em outras palavras, é comum entre pessoas que não tem aliança com Deus. Quando a graça de Deus invade o nosso coração, somos transformados para viver uma nova realidade a partir da generosidade de Deus. Essas transformações fazem com que até possamos pegar emprestado, mas não haverá possibilidade de não devolvermos e não resolvermos essas pendências. Alguém que é transformado pela generosidade de Deus sabe exatamente o que é seu e o que não é seu. Sabe o que precisa devolver e o que precisa pagar.

1. O generoso administra melhor os seus bens

Quando a pessoa não administra bem os seus recursos, com certeza, tem um problema de generosidade no coração.

Feliz é o homem que empresta com generosidade e que com honestidade conduz os seus negócios.

Salmos 112:5

A pessoa que conduz os seus negócios a partir da generosidade administra melhor que muitos outros. Essa pessoa entende que, por causa dessa transformação de coração, ela não pode mais administrar de qualquer maneira. Uma pessoa que não é generosa trabalha contra si mesma, já a pessoa que é generosa conduz com mais sabedoria os seus bens. Isso nos leva a pensar: "como eu cuido das minhas finanças? Será que eu entendo que quando eu administro as minhas finanças não sou só eu que estou envolvido, mas há mais pessoas envolvidas? Será que eu entendo que eu preciso ter responsabilidade para com aqueles que estão perto de mim?"

Quando não somos generosos temos um defeito na alma a ponto de não nos importarmos com aqueles que estão ao nosso redor. A pessoa generosa faz diferente. Ela faz as coisas sempre pensando no todo, da maneira de Deus. Tudo o que Deus faz é sempre pensando no todo. Algo que precisamos entender é que a falta de generosidade pode estar nos levando a administrar mal os nossos negócios e não nos movendo em favor do outro como um coração transformado pela generosidade de Deus faz.

O generoso prosperará; quem dá alívio aos outros, alívio receberá.

Provérbios 11:25

O generoso alivia a carga dos outros. Ajuda outros na caminhada. Fortalece o cansado, levanta o abatido, coopera para a alegria do pobre. Observe o texto de Lucas (6:38):

Dêem, e lhes será dado: uma boa medida, calcada, sacudida e transbordante será dada a vocês. Pois à medida que usarem, também será usada para medir vocês.

Lucas 6:38

Costumamos usar esse texto para falar de finanças, no entanto, se olharmos todo o contexto, está falando da totalidade da vida cristã, que inclusive envolve bens. Esse texto fala dessa ação da graça de Deus em nós. A transformação que acontece quando representamos a graça de Deus. Tudo o que fazemos vai gerar uma reação. A velha lei da semeadura. Tudo o que plantarmos, colheremos em uma medida maior. Se jogamos pressão num relacionamento, colheremos pressão, se jogarmos raiva, colheremos isso em proporção muito maior, pois a colheita é sempre maior que o plantio. Em nossos relacionamentos, produzimos alívio ou pressão para os outros? Colocamos cargas, ou através da generosidade, retiramos essas cargas? Tornamos mais leve a vida das pessoas ao nosso redor ou, pelo contrário, pesamos mais ainda sobre elas? Temos que pensar sobre isso. Porque o generoso receberá o mesmo alívio que ele prover aos outros. Se desejamos nossas cargas aliviadas, também precisamos prover alívio para os outros. E isso só acontece se formos generosos. Se queremos que alguém se mova em amor conosco, amemos incondicionalmente. Se desejamos que alguém nos respeite, respeitemos imensamente. Se esperamos que a vida seja leve, tentemos prover essa leveza para quem está ao nosso redor. Talvez possamos pensar que todos ao nosso redor possuem problemas. Se isso é realmente verdade, é provável que Deus esteja chamando-nos para produzir alívio a essas pessoas ao invés de somente criticá-las por causa dos seus problemas.

ATRAVÉS DA GRAÇA DE DEUS EM NÓS, SOMOS CHAMADOS PARA PRODUZIR ALÍVIO NA VIDA DAS PESSOAS.

Eu já vivi inúmeras experiências que exemplificam isso. Quando fiquei muito doente, a ponto de não poder trabalhar, fui servido por muitos amigos. Muitos que aliviaram aquele fardo que eu estava carregando. Mas, por que isso aconteceu? Porque em outras épocas eu também os servi. Em momentos que esses amigos estiveram mal, passando por problemas, dificuldades e lutas, eu não os pressionei tornando o fardo mais pesado para carregar. Tivemos alguns amigos que já ficaram doentes e nos movemos para ajudar nos tratamentos, remédios, suporte emocional e espiritual. Quando foi a minha vez de ficar doente, os mesmos amigos vieram e deram-me todo o suporte que precisava. Em tudo que nos movermos em generosidade voltará para nós em generosidade ainda maior.

2. A generosidade deve trabalhar a semeadura em nosso coração

No meio da mais severa tribulação, a grande alegria e a extrema pobreza deles transbordaram em rica generosidade.

2 Coríntios 8:2

Isso é muito incrível. Paulo está falando das Igrejas da Macedônia. Que mesmo em sua profunda pobreza e severa tribulação, escolheram abundar em generosidade. Escolheram participar da assistência aos santos de Jerusalém, que passaram por um longo período de fome. Temos que ter um coração generoso para semear. Precisamos pensar. Como Ele nos amou, nos entregou o Seu melhor, que era o Seu Filho, o nosso Salvador e Senhor, nos tirou do império das trevas e nos levou para o reino do filho do Seu amor. Pensemos em quanto o Senhor foi generoso conosco e como transforma o nosso coração para que também sejamos generosos em relação aos outros. Nós tínhamos uma necessidade que foi suprida pelo Senhor e, agora, somos chamados a suprir as necessidades de outros. O generoso entende que mais abençoado é o que planta do que o que colhe. Que mais bem-aventurado é dar do que receber. A generosidade trabalha com as coisas do modo inverso do mundo. Para o mundo, quanto mais você ajunta, melhor para você, no reino de Deus, quanto mais você planta, mais você investe nos outros, mais você supre necessidades. Quanto mais você se doa pelos outros, mais o Senhor confia em suas mãos. Quanto mais você abençoa mais você será abençoado. É assim que funciona a generosidade.

3. A generosidade enrique todas as áreas da nossa vida

Vocês serão enriquecidos de todas as formas, para que possam ser generosos em qualquer ocasião e, por nosso intermédio, a sua generosidade resulte em ação de graças a Deus.

2 Coríntios 9:11

Qual é a área da nossa vida na qual precisamos ser enriquecidos? Há um propósito para que sejamos enriquecidos: sermos generosos. Esse é o propósito. Necessitamos entender o porquê Deus quer que prosperemos. Ninguém vence Deus quando o assunto é dar. Ele sempre vai dar muito mais infinitamente do que pedimos ou pensamos. E isso tem um propósito. Quando a prosperidade vem de Deus, toca todas as áreas da vida. Para Deus, não adianta sermos prósperos financeiramente, porém, emocionalmente e espiritualmente, estarmos destruídos. A generosidade é o resultado dessa graça de Deus derramada sobre nós para que possamos viver esse ambiente de prosperidade em todas as áreas da nossa vida. Não adianta somente falarmos para as pessoas que somos crentes, essa generosidade precisa transbordar de nosso ser.

Por meio dessa prova de serviço ministerial, outros louvarão a Deus pela obediência que acompanha a confissão que vocês fazem do evangelho de Cristo e pela generosidade de vocês em compartilhar seus bens com eles e com todos os outros.

2 Coríntios 9:13

Não podemos somente viver uma capa religiosa; devemos expandir e transbordar a generosidade que há em nosso coração por causa da obra da graça, de modo que as pessoas que olharem para nós louvarão a Deus por verem os frutos dessa generosidade. Não devemos unicamente falar sobre generosidade, mas devemos encarná-la. As pessoas podem olhar para o nosso discurso e ele pode até ser bonito, contudo, quando olham para nosso caminhar descobrem que não somos tão generosos quanto podíamos ser. Se não somos generosos, não só com as finanças, mas no amor, no carinho, na compaixão, não levaremos as pessoas a louvarem a Deus quando olharem para nós.

A generosidade em nosso coração vai sempre aumentar o nível de riquezas, não só terrenas, entretanto, riquezas emocionais e espirituais. Riquezas de bondade, fidelidade, amor e graça por todos. Quando nos tornamos generosos, começamos a ver todas as áreas das nossas vidas tocadas pelo Senhor. Tornamo-nos representantes da graça divina que nos tocou e nos transformou para que essa mesma graça possa tocar e transformar a outros. Generosidade é graça de Deus em nós.

27

RIQUEZAS SEM PROPÓSITO TRAZEM INFELICIDADE

Quem é responsável por construir sua fortuna sem propósito, um dia terá que prestar contas.

Deus quer que prosperemos, no entanto, riquezas sem um propósito divino podem se tornar uma arma mortal. Deus quer que tenhamos riquezas, sim, que construamos riquezas. É um desejo de Deus, é um ensinamento por toda Palavra de Deus, todavia, precisamos ajustar nosso coração para que esse meio seja na proporção certa e da maneira certa.

Há um mal terrível que vi debaixo do sol: riquezas acumuladas para infelicidade do seu possuidor.

Eclesiastes 5:13

Para tudo nessa vida precisamos ter um propósito, tudo que Deus nos dá é um meio, a família é um meio, o ministério, as riquezas, tudo é um meio e precisamos saber usar isso. É importante termos riquezas, mas, ter um propósito antes de tudo isso é muito mais importante.

Na minha trajetória, vi muitos casais construírem fortunas e quando chegam ao final da vida, o marido larga a esposa, larga aquela mulher que ajudou a construir a riqueza, quebra todos os princípios de um casamento, de uma aliança, casa-se com outra mulher, e podemos ver que aquela riqueza acabou por produzir um mal. As riquezas podem promovem traições dentro dos relacionamentos, das amizades, das sociedades e, até mesmo dentro das Igrejas, onde vemos tantos escândalos a respeito de finanças. Temos o exemplo de Judas, o dinheiro fez muito mal para ele. Além de Judas ser um Apóstolo vocacionado por Deus, escolhido depois de uma noite de oração, ele tinha um cargo eletivo, ou seja, um cargo de eleição. Judas tinha o cargo de tesoureiro e o dinheiro o influenciou a ponto de o diabo encher seu coração. Tudo isso porque as riquezas podiam estar na mão dele, porém, ele não tinha um propósito. Conheço muitas famílias que se desgastaram por causa de riquezas, sócios que desfizeram suas empresas por não terem propósitos e ocasionaram infelicidades e sofrimento.

AS RIQUEZAS PODEM TRAZER DESGRAÇAS SOBRE UMA NAÇÃO, SOBRE UMA FAMÍLIA, SOBRE UM POVO SE NÃO TIVEREM PROPÓSITO BEM DEFINIDO.

Analisemos como termina a história dos grandes produtores de Hollywood, pensemos em como terminam muitas famílias destes que usaram e usam riquezas para promoverem apologia a sexualidade errada, imoralidade e falsos padrões éticos. Em todas as áreas, termina em tragédia, e Deus faz questão que isso aconteça para mostrar o erro de simplesmente se ter riquezas fora dos propósitos de Deus. Temos também o exemplo de uma das grandes redes de televisões da nossa nação, e é notório que o império dessa emissora começou a ser abalado nos últimos anos. Relembremos um pouco do que essa rede de televisão ensinou a respeito de divórcio, de filhos se rebelarem contra os pais, o quanto perverteram a mente de moços e moças a respeito de sua sexualidade verdadeira e outras coisas. Quem é responsável por construir sua fortuna sem propósito, um dia terá que prestar contas. Como é importante entendermos que riqueza precisa ter um propósito divino. Deus vai dar prosperidade? Sim, contudo, precisamos dar conta, pois quando Deus traz um juízo, aquilo que parecia bem, se torna um mal. Por isso, antes de construir uma riqueza, precisamos buscar, em nosso coração em Deus, para qual propósito o Senhor quer nos prosperar. Construamos riqueza, entretanto, com um propósito, para não acontecer de prosperarmos, crescermos, conquistarmos e depois aquilo se tornar um mal em nossa vida, mas, sim, um bem no qual Deus vai trazer suplemento para nossa casa, justiça na terra para se envolver no Reino de Deus. E, ainda, vai nos dar de maneira que vai sobrar para partilhar com os demais.

28

CAPACITAÇÃO PARA DESFRUTAR DAS RIQUEZAS

Pessoas que desprezam o ensino já, no início, jamais desfrutarão do que aquele ensino pode produzir.

E, quando Deus concede riquezas e bens a alguém, e o capacita a desfrutá-los, a aceitar a sua sorte e a ser feliz em seu trabalho, isso é um presente de Deus.

Eclesiastes 5:19

Precisamos entender que tudo na vida é um presente de Deus, um dom de Deus, ganhar riquezas e produzir bens, capacidade de desfrutar disso e aceitar que essa é uma condição vinda do Senhor, sermos prósperos e felizes em nosso trabalho, tudo isso é um dom de Deus. É muito importante ensinarmos nossos filhos e a próxima geração a respeito de vocação e chamado. Como pais, muitas vezes, queremos que nossos filhos se tornem algo ou façam uma faculdade para a qual eles não têm vocação para exercer e nem serão felizes, porque estão vivendo algo que nós queremos e não o que Deus tem para eles.

Um exemplos básico é uma pessoa que nasceu para ser médico tentar ser professor. Ela não será feliz e nem bem-sucedida, não terá sucesso em sua carreira e passará a vida infeliz, dado que não entendeu sua vocação e aquilo que nasceu para ser e fazer.

Em verdes pastagens me faz repousar e me conduz a águas tranquilas; restaura-me o vigor. Guia-me nas veredas da justiça por amor do seu nome.

Salmos 23:2,3

Esse salmo fala sobre suprir nossas necessidades, como o Senhor nos faz desfrutar de prosperidade e coloca-nos em lugares de riquezas e bens. Esses lugares devem produzir tranquilidade. A Bíblia diz que Deus nos faz repousar, e repousar significa "saber desfrutar". Se tivermos Deus como nosso pastor, nada do que ele falou vai nos faltar. Deus nos faz desfrutar, nos dá a capacidade para desfrutar de riquezas. Sim, é necessária uma capacitação de Deus para desfrutarmos das riquezas. Muitas pessoas ganham riquezas, no entanto, não sabem desfrutar, inúmeras pessoas ganharam riquezas na família, em contrapartida, perderam a família, ganharam riquezas no trabalho, mas perderam sua saúde. Deus quer que prosperemos! Ele também prepara nosso coração com graça para que, nesses ambientes de riqueza, aprendamos a desfrutar. Para isso, é imprescindível entendermos que o Senhor precisa ser nosso pastor, aquele que nos conduz, que lidera nossa vida, que tem o senhorio sobre nós, que nos faz Seus filhos. E, como filhos, temos o privilégio de sermos guiados por Ele. Romanos 8:14 afirma: *"Porque todos os que são guiados pelo Espírito de Deus são filhos de Deus".*

É basilar que compreendamos a importância de desfrutar desses ambientes e entendermos isso como uma vocação de Deus. Será que já reparamos que há pessoas que recebem a mesma informação, mas têm resultados diferentes? Isso desde uma classe de escola, até mesmo dentro da Igreja, por que isso ocorre? Por que nem todos conseguem desfrutar daquilo que estão recebendo. Necessitamos aprender a tirar o melhor proveito dos ensinos e das informações que Deus nos dá e desfrutar disso.

Quantas vezes fomos ensinados, na Igreja, sobre finanças e algumas pessoas reclamam que já ouviram sobre aquilo, que não aguentam mais ouvir as mesmas coisas. Porém, sabemos que esse é um dos assuntos que mais nos afetam, talvez o assunto que mais precisamos ouvir e o assunto que mais precisamos de luz e ensino correto, posto que é uma área de nossas vidas que mais nos fere e machuca. E estou falando de pessoas que nasceram de novo, que creem em Jesus, contudo, são feridas por não aprenderem a lidar com a informação, desfrutar da informação, aproveitar o máximo dela.

PESSOAS QUE DESPREZAM O ENSINO JÁ, NO INÍCIO, JAMAIS DESFRUTARÃO DO QUE AQUELE ENSINO PODE PRODUZIR.

Não devemos nos opor à palavra e à instrução de Deus. Se Deus, nesse tempo, quer ensinar-nos sobre finanças, recebamos essa palavra, não a rejeitemos, tenhamos um coração que absorve o ensinamento da palavra. Sejamos uma terra fértil, um lugar que produzirá e fortificará a palavra. Tenhamos um comportamento de fome pela palavra de Deus, para que possamos dar resultado, assim como a palavra de Deus espera que possamos produzir e nós mesmos possamos desfrutar desse resultado.

Uma das coisas que me fez apaixonar por esse assunto na Palavra de Deus foi olhar para os textos bíblicos a respeito das finanças e ver que Deus se importa com isso, que Deus se importa com meus ganhos, se importa com a maneira que eu administro meus bens.

Quando fazemos uma reflexão sobre os problemas das pessoas dentro da Igreja, vemos pessoas feridas nas áreas de finanças. E não só pessoas que não têm, mas pessoas que mesmo tendo não conseguem desfrutar do bem que isso pode trazer. Quantas pessoas passam a vida inteira trabalhando e não conseguem desfrutar de férias, de momentos de lazer, não conseguem planejar uma viagem ou visitar um país diferente. Isso pode ser um reflexo de pessoas que, todas as vezes que o ensino da Palavra em relação a finanças veio ao seu coração, houve uma rejeição. Não desfrutamos porque não recebemos e não entendemos. Precisamos aprender a desfrutar. A diferença de pessoas justas e injustas, é que o justo aprendeu a desfrutar da justificação que ele tem em Cristo Jesus. Não estamos falando de pessoas que se acham melhor do que os outros, e sim daqueles que possuem uma aliança com Deus, entendem que tudo o que eles têm vem de Deus e, dessa maneira, aprendem a desfrutar de Deus, do que Ele pode dar.

Ao homem que o agrada, Deus recompensa com sabedoria, conhecimento e felicidade. Quanto ao pecador, Deus o encarrega de ajuntar e armazenar riquezas para entregá-las a quem o agrada. Isso também é inútil, é correr atrás do vento.

Eclesiastes 2:26

Precisamos entender como Deus se agrada de nós, tendo em vista que assimilar isso é alcançar um lugar em Deus e, nesse versículo, fala sobre transferência de riqueza, de sabedoria, de conhecimento e felicidade. Muitas pessoas que estão fora da aliança de Deus, vão juntar riquezas para dar a quem vive na aliança de Deus, nós, que vivemos em um ambiente com o Senhor, quando entendermos o poder do desfrute. Pessoas que saem amarguradas, de manhã, para trabalhar, são pessoas que não aprenderam a desfrutar, não entenderam sobre prosperidade. É promessa bíblica, muitas pessoas sem aliança com Deus passarão negócios e riquezas para quem entendeu seu lugar em Deus e desfruta disso.

No Livro de Josué, capítulo 1, quando Moisés foi morto, Deus falou: *"Meu servo Moisés está morto. Agora, pois, você e todo este povo, preparem-se para atravessar o rio Jordão e entrar na terra que eu estou para dar aos israelitas"*, Deus enumerou as referências geográficas da terra, e, no versículo 5, seguiu proclamando: *"Ninguém conseguirá resistir a você, todos os dias da sua vida. Assim como estive com Moisés, estarei com você; nunca o deixarei, nunca o abandonarei. Seja forte e corajoso, porque você conduzirá esse povo para herdar a terra que prometi sob juramento aos seus antepassados"*.

Ou seja, sejamos fortes e corajosos e todos os nossos projetos e sonhos serão concretizados.

Tem muitas pessoas que não entenderam como ser prósperas dentro do seu trabalho, não se envolvem com a palavra de Deus e não buscam sabedoria. E como se busca sabedoria? Nos envolvendo com a Palavra de Deus. Temos uma geração de cristãos que não conhece a palavra de Deus, e se obtiver riquezas terá problemas, pois não saberá desfrutar daquilo, não terá capacidade para desfrutar.

O que é ser próspero? O que é ser feliz como a Bíblia diz? Próspero quer dizer que Deus nos abençoa por inteiro, abençoa todas as áreas da nossa vida, seja ela física, emocional, financeira, em todos os sentidos da vida, em tudo aquilo que colocamos a mão o Senhor nos prospera. E não só nos prospera como nos dá a capacidade de desfrutar. Alguém próspero é alguém que pode ter as coisas, visto que elas não farão mal e não trarão destruição. Ser próspero é ser bem sucedido em todas as áreas da vida. Tudo aquilo que é promessa de Deus, se torna um desfrutar. Desfrutamos da saúde, da família, dos momentos de alegria e conquista. Quantas pessoas passam a vida trabalhando, no entanto, não desfrutam do trabalho, não desfrutam do que o trabalho produz, um homem ou uma mulher que prospera é aquele(a) que desfruta da família, aquele(a) que aproveita sua família, tira férias, descansa, e desfruta daquilo que Deus tem dado.

Certa vez, eu estava na casa de um homem que tinha muitas riquezas, muitas posses, e ele nos convidou para almoçar. Naquela mesa tinha muita comida, muita coisa boa, ele me olhou e disse: "Pastor, sou um homem muito rico, mas eu mesmo não posso desfrutar do que tem nessa mesa", no prato dele veio uma água com farinha, parecia muito uma sopa, e ele me olhou, dizendo: "A mesa está cheia, e isso aqui é o que eu posso comer", e continuou a dizer: "Passei a vida trabalhando e não desfrutei, não desfrutei da minha família, não desfrutei de mim mesmo". Tudo aquilo que Deus acrescenta na nossa vida são presentes e, por muito tempo, eu não soube desfrutar disso. Vivi situações nas quais não fui obediente, pois eu pensava que era necessário apenas trabalhar. Eu não tirava férias, não descansava, não desfrutava até o momento em que tive um colapso emocional e entendi que uma das coisas que eu precisava era também desfrutar das bênçãos de Deus". Deus nos faz prosperar e desfrutar. Todas as vezes que consigo descansar, desfrutar com a família, tirar férias, eu fico pensando no quão importante entender esse dom de Deus, o dom do desfrute. Que Deus enriqueça nossas vidas, nos encha de bens, de riquezas, e que aprendamos a desfrutar e descansar.

29

TESOUROS ESCONDIDOS

Deus pode nos dar uma ideia, um produto, e tudo se multiplicar por milhões em nossa vida e se tornar uma fonte inesgotável de finanças.

Darei a você os tesouros das trevas, riquezas armazenadas em locais secretos, para que você saiba que eu sou o Senhor, o Deus de Israel, que o convoca pelo nome.

Isaías 45:3

Há duas formas básicas de encontrarmos riquezas e tesouros em Deus. A primeira é ser obediente, praticando os princípios de Deus, o princípio sempre funciona. Pessoas que não são cristãs se beneficiam do fato de colocar alguns princípios em prática. A segunda é entender os códigos de Deus, as revelações e os conteúdos que Deus quer nos ensinar, o que nos leva a ambientes de oração e busca pelo Senhor. Esses dois fatores fazem-nos ter acesso aos tesouros de Deus e às riquezas, obedecer a Deus dentro dos princípios e ter um ambiente de revelação dos códigos de Deus.

Mas pensemos juntos, por que Deus fala, em Isaías, sobre os tesouros das trevas? Aqui está falando sobre transferências de riquezas que estão escondidas nas trevas e precisam vir para a luz.

Ao homem que o agrada, Deus recompensa com sabedoria, conhecimento e felicidade. Quanto ao pecador, Deus o encarrega de ajuntar e armazenar riquezas para entregá-las a quem o agrada. Isso também é inútil, é correr atrás do vento.

Eclesiastes 2:26

Quando fala sobre aliança das trevas, está falando de pessoas que não têm aliança com Deus e é bíblico que essas pessoas irão juntar riquezas para dar àqueles que possuem aliança com Deus. A Bíblia narra muitas formas de transferências de riquezas, muitos momentos em que Deus trouxe algo das trevas para luz, tirou dos ímpios e deu para o povo da aliança. Quando o povo Hebreu saiu do Egito, depois de 430 anos de escravidão, em que eles trabalharam e enriqueceram o povo egípcio, o interessante é analisar que, na saída, Deus fez aquele povo achar graça diante do povo egípcio, ao que estes deram das suas riquezas ao povo hebreu. O povo de Israel que trabalhou como escravo durante todos aqueles anos, saiu do Egito com muitas riquezas.

Quando Abraão foi com 300 homens e venceu os Reis de Sodoma e Gomorra, no episódio que Ló ficou preso, ele ficou com todo o despojo de todos os reis. Essa é, literalmente, uma transferência de riqueza dos reis que não tinham aliança com Deus para Abraão, que tinha uma aliança com Deus. É isso que significa tirar tesouros das trevas. A Bíblia diz que aquele que não tem aliança e está nas trevas vai produzir riqueza para transferir àquele que tem aliança com Deus. Quando Israel saiu do Egito em direção à terra prometida, Deus os guiaria para um lugar onde já habitavam muitas pessoas. Havia terras e pessoas que trabalharam por anos, arduamente, para adquirir tudo o que possuíam. Imaginemos que em Canaã havia muito gado, plantio, terras, que muitos homens haviam adquirido durante anos. Deus estava levando Israel para um lugar onde eles não plantaram para ter, e comer do gado que eles não criaram, para usufruir de algo que eles não produziram. O que Deus estava fazendo era uma transferência de riqueza para aquele povo. Pelo menos, era a ideia de Deus, mas aquela geração não viveu isso por causa da sua desobediência e murmuração. Aqui, cabe um conselho. Se cremos que Deus pode nos transferir riquezas, saiamos de perto de pessoas que murmuram, de pessoas sem fé, de pessoas que preferem morrer no deserto do que obedecer.

Deus pode tornar os grandes pequenos, e tornar os pequenos em grandes. É padrão de Deus tirar os tesouros das trevas para abençoar aos seus filhos. Isso não significa que Deus está pegando algo do diabo, até porque o diabo não tem nada. Significa que Deus está reivindicando o que é dEle para abençoar os seus filhos, e pessoas que têm aliança com o Senhor são beneficiadas daquilo que pertence a Ele. Pessoas que vivem em trevas, trabalham apenas para produzir, apenas por seus próprios interesses, para alimentar sua vaidade e orgulho, têm a tendência de perderem tudo o que construíram. Deus faz isso.

Precisamos apreender, também, sobre como descobrir riquezas em lugares secretos. A Bíblia fala muito sobre oração, e sobre o nosso ambiente de oração. A oração é um lugar secreto para receber os códigos de Deus, revelações, entendimentos de Deus. Pessoas que não oram não conseguem acessar isso. Não acessam os tesouros escondidos de Deus. Pensemos: se Deus está dizendo, em sua Palavra, que há tesouros em lugares secretos, nós precisamos buscar acessar esses lugares secretos para encontrar essas riquezas.

Na lista dos dez homens mais ricos do mundo, não há nenhum cristão, de origem tem, de vivência, não. Para Deus trazer um avivamento, também precisa de recursos para movimentar um avivamento, Deus precisa de homens e mulheres que sejam prósperos para isso.

DEUS PODE NOS DAR UMA IDEIA, UM PRODUTO, E TUDO SE MULTIPLICAR POR MILHÕES EM NOSSA VIDA E SE TORNAR UMA FONTE INESGOTÁVEL DE FINANÇAS, TALVEZ, SÓ O QUE ESTÁ FALTANDO PARA ISSO É ACESSARMOS OS CÓDIGOS DE DEUS.

O dono da Colgate, uma das maiores empresas de higiene pessoal, quando iniciou a servir a Deus, começou a dizimar e disse, certa vez, que queria ser sócio de Deus. Que não queria ter a sua riqueza e dar apenas uma parte pra Deus, ele queria dividir tudo com o Senhor. Ele tinha um amigo que era sócio da empresa, com o tempo, comprou a parte do sócio e disse que, daquele momento, teria sociedade apenas com Deus. Ele chegou a investir e doar mais de 90% da sua própria empresa em campos de missões, e ainda continuou sendo um dos homens mais ricos do mundo. A Colgate é uma das indústrias mais bem sucedidas do mundo inteiro, e isso porque ele acessou um código escondido em Deus que o prosperou e o abençoou. Existem riquezas que estão em códigos, precisamos descobrir esse lugar de revelação para acessar.

Que possamos viver em um âmbito no qual não sejamos como aquela geração de Israel, que murmura de tudo e morre sem acessar a prosperidade de Deus. Aprendamos os códigos de Deus, aprendamos a discernir como Deus está se movendo, mudemos nossa mente, mudemos nossas atitudes, não nos conformemos com as coisas deste mundo. Que tenhamos uma renovação em nossa mente, recebamos as transferências de riquezas que o Senhor quer nos dar, estejamos disponíveis para Deus, nos habilitemos, treinemos, estudemos, e nos tornemos pessoas que vivem o ambiente de Deus.

30

SABEDORIA E DINHEIRO TRAZEM PROTEÇÃO

A falta de conhecimento nessa área, produz muitas dores e sofrimento.

A sabedoria oferece proteção, como o faz o dinheiro, mas a vantagem do conhecimento é esta: a sabedoria preserva a vida de quem a possui.

Eclesiastes 7:12

O dinheiro e a sabedoria são duas coisas que a Bíblia está colocando no mesmo nível de proteção. Por isso, sempre digo que um dos assuntos mais extraordinários da Bíblia é sobre finanças. É um dos assuntos que o Senhor mais ensina e os cristãos menos gostam de aprender. A falta de conhecimento nessa área produz muito sofrimento e dores.

Num mundo cada vez mais caótico e violento, todos buscam proteção. Proteção é extremamente importante. Os grandes países se protegem de ataques de todo os tipos. Os EUA, por exemplo, criaram um escudo invisível, radares, sensores, a ponto de qualquer coisa que entre no país, vindo de um ataque, é rapidamente interceptado. Para isso, foram gastos bilhões de dólares e, hoje, é um dos países mais protegidos do mundo. Os países ricos se protegem de ataques. Os ricos de uma cidade se protegem dentro de condomínios fechados. Cada pessoa, durante a sua vida, desenvolve tipos de proteção.

Mas do que a sabedoria nos oferece proteção?

A Bíblia fala que quem não tem sabedoria deve pedir ao Senhor, e Ele livremente lhe dará. Muitas pessoas não tiveram a oportunidade de ter escolaridade, sem embargo, são extremamente sábias. Minha mãe nunca teve escolaridade, nunca pode estudar, todavia, tinha muita sabedoria. Era uma comerciante inteligente. Uma vez, perguntei a ela como que ela podia ser uma grande comerciante sem ter estudo? Ela me respondeu que não tinha estudos, mas teve a oportunidade de conhecer a Jesus, e Ele é a própria sabedoria. Ela disse que Jesus a ensinou, porque ela constantemente pedia sabedoria a Ele.

A SABEDORIA NOS PROTEGE DA TOLICE

Em Lucas 6, o tolo constrói uma casa que não vai suportar os ventos e tempestades, porque construiu sobre a areia. Agora, imagine comigo. Se nós construímos a nossa vida e colocamos toda a esperança nesse mundo, quando as tempestades vêm, como vieram com a pandemia da COVID 19, nossa casa será abalada. O que nos impede de não construirmos a nossa vida sobre estruturas que não vão suportar os desafios e tempestades? É a sabedoria. Ser sábio é construir a nossa vida sobre a Rocha que é Jesus. Quantas pessoas constroem seus casamentos, famílias, profissões em cima do fundamento errado e, quando vêm os desafios, tudo se desfaz e se destrói. As coisas, no mundo, mudam o tempo todo. Cada governo é uma política diferente, são desafios financeiros diferentes, inflação, juros altos, depois juros baixos, as coisas estão em constante mudança e não podemos ter nossa vida financeira simplesmente sobre esse fundamento. Quando não temos sabedoria para transcender os planos do mundo, vamos sempre cair e sermos reféns.

A SABEDORIA NOS PROTEGE DA FALTA DE CONHECIMENTO DA CAUSA DE CRISTO

Há falta de conhecimento do nosso propósito, daquilo que temos e devemos realizar. A sabedoria é muito mais que momentânea, fala mais do que o momento que estamos vivendo. Ela nos projeta para o futuro, é mais do que a razão da soma de dois mais dois igual a quatro. A sabedoria é um ambiente de conhecimento que traz a revelação de Deus para os dias de amanhã, para o futuro. Quantas pessoas não possuem sabedoria para se preparar para o futuro? Vivem os seus dias e as respostas para os seus dias estão simplesmente nas pautas dos jornais, enquanto deveriam buscar a sabedoria de Deus através da Palavra de Deus. Para que quando as situações do mundo vierem, nós saibamos exatamente o que temos que fazer e como temos que nos mover, saibamos o propósito e a causa de tudo o que está acontecendo. Nossos desafios, que vivemos e aqueles que virão, devem ser resolvidos não pelo que diz o mundo e suas pautas, e sim pela sabedoria que vem direito do trono de Deus.

E o dinheiro, que é colocado no mesmo âmbito da sabedoria para nos proteger, nos protege do quê?

O dinheiro nos protege como um meio. O dinheiro nunca é o fim da carreira. O fim da carreira é Jesus, porque Ele também foi o início dela. O dinheiro é um meio que podemos utilizar para nos proteger, assim como a sabedoria. Ele nos protege de coisas bem básicas.

O DINHEIRO NOS PROTEGE DA FOME, DO FRIO E DA FALTA DE TEMPO

1. O dinheiro protege da fome

Quando paramos em um semáforo e vemos alguém pedindo um trocado para poder comer. Em algum momento pensamos como aquela pessoa está desprotegida? Ela está totalmente à mercê, está com fome. Ela não tem a proteção de alguém que pode ir ao supermercado e comprar aquilo que quer, haja vista que está, de algum modo, protegido da fome pela construção de riquezas.

Eu conheci vários lugares do mundo, e me marcou muito conhecer centros de refugiados. Lugares que abrigavam pessoas que tinham de sair do seu próprio país, por diversos motivos, perseguição, crenças, guerra civil. O centro de refugiados é um lugar em outro país onde eles vivem até a resolução das questões. E é muito difícil, eles não podem voltar para o seu país, também não podem entrar totalmente no país em que estão. Eles são refugiados, não têm nacionalidade, é muito sofrimento. Me abalou muito ver o sofrimento dessas pessoas, elas não têm nação, não têm recurso, não têm praticamente nada. Estão totalmente desprotegidas. Dependem inteiramente dos outros para viver e vivem à mercê de qualquer coisa de ruim que possa acontecer.

2. O dinheiro protege do frio

Quantas pessoas morrem nos invernos rigorosos, principalmente moradores de rua, que não têm um lugar para os proteger do frio. Dormem na rua. Tudo isso por não terem a proteção que o dinheiro pode trazer.

3. O dinheiro protege da falta de tempo

Ele é um meio de nos proporcionar mais tempo para as coisas realmente importantes e prazerosas da vida. Pessoas que não construíram riquezas vivem sem tempo. Não conseguem tempo para desfrutar, por vezes, nem de uma boa noite de sono. Não têm tempo para descansar, apreciar a família, as férias.

Há muitos anos, vi uma reportagem de famílias da grande São Paulo, onde pais só veem os filhos nos finais de semana, porquanto, durante a semana, saem cedo de casa, quando os filhos ainda estão dormindo, e voltam tão tarde, por causa das horas e horas em metrôs, quando chegam, os filhos já estão dormindo. Que realidade triste – não ter tempo nem para ver e conversar com o seu próprio filho porque você não tem o dinheiro para se proteger disso. O dinheiro é um meio para ganharmos tempo. O tempo é uma das coisas mais preciosas que podemos ter, porque tempo é um limitador da vida. Todos teremos um tempo na vida e um dia morremos. Se não soubermos aproveitar o tempo da maneira correta, viveremos mal. O dinheiro nos protege de não aproveitarmos mal nosso tempo. Tantas coisas que poderíamos viver se tivéssemos dinheiro que nos proporcionasse tempo de qualidade.

Assim como a Palavra de Deus diz para buscarmos sabedoria, ela nos orienta a construir riquezas. Ambos vão nos proteger. Assim como a sabedoria, o dinheiro também vai produzir proteção em nossa vida.

31

TRANSFERÊNCIA DE RIQUEZAS

Deus transfere riquezas para aqueles que o amam de todo coração.

Ao homem que o agrada, Deus recompensa com sabedoria, conhecimento e felicidade. Quanto ao pecador, Deus o encarrega de juntar e armazenar riquezas para entregá-las a quem o agrada. Isso também é inútil, é correr atrás do vento.

Eclesiastes 2:26

Deus deseja transferir riquezas, e podemos ver isso no decorrer da história, um Deus que se manifestou de Gênesis, até os dias de hoje promovendo pessoas, abençoando pessoas. Na história da fé, podemos ver como grandes homens tiveram transferências de riquezas, a exemplo, Abraão, que teve transferências de riquezas, Isaac, Jacó, José, e como o povo de Israel saiu do Egito, depois de 430 anos no cativeiro, Deus transferiu riqueza dos Egípcios para eles. Assim, vemos, no decorrer da história, como Deus transfere riquezas para o seu povo. A Bíblia diz que com Deus é que estão as riquezas.

Comigo estão riquezas e honra, prosperidade e justiça duradouras.

Provérbios 8:18

Nos dias atuais, e até mesmo dentro das Igrejas, temos grande dificuldade em tratar dois tipos de assuntos, os quais achamos que são assuntos sujos, pervertidos, ou até mesmo errados, são eles: dinheiro e sexo. Nesse sentido, lidamos muito, hoje, com esses dois problemas. A sexualidade das pessoas, o sofrimento que as pessoas têm por não estarem lavados, guardados, transformados e conscientes da palavra de Deus, e não conseguem desfrutar dessa dádiva dada por Deus, desse benefício concedido pelo Senhor para usufruir na aliança do casamento. Outro assunto que dentro da Igreja temos dificuldade de lidar é o dinheiro. Quando olhamos para a criação, para tudo que Deus criou, podemos pensar que o "dinheiro não foi algo que Deus criou", ou "as riquezas não são de Deus", mas como diz em Provérbios, precisamos entender que com Deus é que estão as riquezas e se Deus é dono da riqueza, precisamos saber os caminhos pelos quais ela pode ser conduzida até nós.

Quando olhamos para a Palavra de Deus, estudamos a história de Isaque, filho de Abraão, e vemos quando os filisteus cavaram e fecharam os poços de seu pai, Isaque teve um encontro com o Rei Abimeleque em sua peregrinação. E a riqueza de todo o reinado de Abimeleque já tinha se tornado menor do que toda a riqueza de Isaque, ou seja, Deus havia transferido a riqueza daquela terra, daquele povo, daquele Rei, daquele reinado para Isaque, que se tornou maior do que o reinado onde que ele estava.

PARA QUEM DEUS TRANSFERE RIQUEZAS?

1. Deus transfere riquezas para aqueles que o amam de todo coração

Ando pelo caminho da retidão, pelas veredas da justiça, concedendo riqueza aos que me amam e enchendo os seus tesouros.
Ando pelo caminho da retidão, pelas veredas da justiça, concedendo riqueza aos que me amam e enchendo os seus tesouros.

Provérbios 8:20,21

Deus transfere riquezas para aqueles que o amam. Interessante pensar que há muitas pessoas que não amam a Deus, porém, vão em direção a Deus por causa das coisas terrenas, porque amam o que a riqueza pode proporcionar. Não podemos mais gastar tempo buscando riquezas terrenas e não amando a Deus de todo coração, o nosso amor e nossa devoção precisam ser de uma forma sincera, devota e suprema a Ele.

As pessoas que amam a Deus, de verdade, entram dentro de um ambiente de entendimento, de milagres, e não estou falando de um amor religioso, um amor tóxico, estou falando de um amor genuíno, verdadeiro, que ama a Deus sobre todas as coisas, acima de todas as circunstâncias e acima de tudo aquilo que se pode entender acerca de riquezas.

2. Deus transfere riquezas para aqueles que buscam sabedoria

Pessoas que não buscam sabedoria jamais serão ricas e nem trarão riquezas para si.

De madrugada partiram para o deserto de Tecoa. Quando estavam saindo, Josafá lhes disse: "Escutem-me, Judá e povo de Jerusalém! Tenham fé no Senhor, o seu Deus, e vocês serão sustentados; tenham fé nos profetas dele e vocês terão a vitória".

2 Crônicas 20:20

Aqui, essa passagem não fala simplesmente da direção humana, está se referindo à palavra profética de Deus. Todo ambiente profético vem carregado de poder, de realização, de sobrenatural, e quando ouvimos algo sobre finanças, precisamos estar abertos para aprender sempre mais sobre esse assunto, e buscando todos os dias, no Senhor, discernimento e sabedoria a respeito do que fazer com as riquezas transferidas de Deus. É necessário entender que para prosperar devemos crer na palavra profética e não rejeitar a unção que ela tem.

Lembro-me que uma das coisas que me motivou a ouvir mais sobre finanças, a ler mais e estudar mais sobre esse assunto, foi o simples fato de querer vencer na vida, foi a partir do desejo de estar com o coração aberto para aprender mais. Esse ambiente profético ajudou-me demasiado a discernir e ter sabedoria para lidar com as finanças. Se rejeitamos toda a palavra de ensino a respeito de finanças, nosso coração está muito mais propenso a avareza e avareza é um pecado que nos impede de entrar e produzir o Reino de Deus ao nosso redor, e a Bíblia fala isso por toda sua Palavra.

3. Deus transfere riquezas para aqueles que semeiam

Dêem, e lhes será dado: uma boa medida, calcada, sacudida e transbordante será dada a vocês. Pois à medida que usarem, também será usada para medir vocês.

Lucas 6:38

Semear é um princípio divino para Deus promover milagre nas finanças. Quem semeia pouco, recebe pouco, recebe a mesma medida, e um dos entendimentos que precisamos ter sobre a semeadura é que semeamos com um propósito, com um coração alegre, e Deus ama quem dá com alegria.

Interessante pensar sobre os presentes que recebemos em uma data comemorativa, o quão alegre ficamos ao sentirmos o carinho de alguém transmitido a nós através de um presente, e essa mesma alegria, também precisamos ter ao semear, pois, se queremos colher em Deus, precisamos ter alegria em semear.

Gostaria de compartilhar algo pessoal que aconteceu comigo: Eu tinha um caso pendente na minha vida de 10 anos, fui avalista de uma pessoa, e por um erro do banco no qual tinha sido feito essa negociação, o banco pegou uma quantia que havia em minha conta bancária. Ao perceber o ocorrido, fomos à justiça, atrás de nossos direitos, até conseguir novamente o que me pertencia. Uma das coisas que gostaria de destacar, aqui, é o fato de que isso se prolongou por 10 anos, e essa dívida chegou a quase 1 milhão de reais, o banco me ligou, fez uma proposta para negociarmos essa dívida, posto que, além da quantia retirada da minha conta bancária, também havia sido apreendido um patrimônio, eu não podia vender e nem fazer nada em relação a ele.

Existem momentos que Deus permite que façamos uma semeadura e sabemos que estamos perto de colher um milagre. Foi o que ocorreu comigo. Eu havia feito antes. Deus colocou em nossa vida um missionário que morava em outro país para cuidarmos, e trabalhamos firme para ajudá-lo, levantamos um valor para ele, eu sabia que, com aquela semente, Deus iria produzir um milagre. Quando o banco me procurou para negociar aquela dívida pendente, consegui acertar em trinta mil reais, ainda tive a oportunidade de desbloquear meu patrimônio. Podemos contemplar e ver o cuidado de Deus naquela situação, uma dívida que era praticamente de um milhão de reais, se tornou algo de trinta mil reais. A semeadura é um milagre que Deus produz, uma forma de transferência de riqueza – aquilo que plantamos colheremos em uma medida maior.

32

DINHEIRO FOI FEITO PARA NEGÓCIOS

É essencial compreendermos que a tolice e a pobreza andam de mãos dadas.

Que não empresta o seu dinheiro visando lucro nem aceita suborno contra o inocente. Quem assim procede nunca será abalado!

Salmos 15:5

O texto está falando de negociações. Precisamos entender a profunda necessidade que nós, cristãos, temos de sermos inteligentes em nossas finanças. Devemos usar a sabedoria que o Senhor nos deu. Vejo muitos cristãos que quase nada se esforçam para aflorar a sua inteligência. Não significa que não são inteligentes, significa que não se esforçam para usá-la. Sobretudo em relação ao dinheiro.

De que serve o dinheiro na mão do tolo, já que ele não quer obter sabedoria?

Provérbios 17:16

É essencial compreendermos que a tolice e a pobreza andam de mãos dadas. Tolice é ignorância. É aquele que ignora o conhecimento, a inteligência e a sabedoria. Muitas pessoas não melhoram sua vida financeira devido a ignorarem qualquer conhecimento nessa área. Ignoram por várias razões, como, por exemplo, ambientes religiosos tóxicos que dizem que Deus ama quem é pobre, que pobreza é o mesmo que humildade. A Bíblia diz que Deus ama o pobre, não a pobreza. A tolice e a ignorância são um prato que o diabo oferece.

Tenho viajado a muitos lugares do mundo e o continente africano me impressiona muito. É um continente cheio de riquezas naturais e, mesmo assim, são países extremamente pobres. Por que isso acontece? Porque as pessoas são extremamente ignorantes em relação àquilo que elas têm, não sabem como manipular, controlar, como extrair da sua terra essa riqueza. Elas são ignorantes sobre isso. O texto de Provérbios diz claramente que o tolo não sabe usar o dinheiro que tem na mão. Não serve para absolutamente nada. Não sabe o que fazer com o dinheiro.

Meu conselho, nessas páginas, tem a ver com a realidade de que o dinheiro foi feito para negociar. Como já falamos, o dinheiro, as riquezas são um meio para que possamos construir muitas coisas. Nós sempre tentamos levar as pessoas a aprenderem a aplicarem o princípio bíblico, mas há pessoas que são tão ignorantes, possuem fortalezas tão fortes em suas mentes, que diante de tudo que falamos de finanças, possuem uma inclinação contrária e usam a Palavra de Deus para isso. É uma ignorância a esse respeito.

Vamos fazer uma análise pessoal: A falta de dinheiro, em nossa vida, não é uma grande parte dos nossos problemas? A falta de riquezas não é um dos grandes problemas que nos impedem de avançarmos na vida? Deus me ensinou isso na pele. Sempre tivemos um ministério abençoado em relação à unção, curas, milagres e maravilhas, apesar disso, grande parte dos meus problemas eram em relação a finanças. Tinha uma grande falta de organização financeira, até ler o livro do John Maxwell de que tanto falo, o qual me ensinou que se eu não conseguisse liderar a mim mesmo eu não tinha condições de liderar nada ao meu redor. Isso me marcou muito. Quando eu terminei de ler aquele livro, ajoelhei-me e disse a Deus que não queria mais ser ignorante a respeito de finanças. Se isso é era um problema na minha vida, então eu precisava resolver aquilo. E a partir disso fui aprendendo e me desenvolvendo nessa área.

Pensemos juntos, os princípios são inegociáveis, Deus é inegociável, mas o dinheiro é para ser negociado. Ninguém quer jogar dinheiro fora. Notemos que as pessoas mais ricas do mundo podem não saber nada sobre eternidade, entretanto, sabem usar o dinheiro, e não são ignorantes quanto a isso. Nós, que somos cristãos, entendemos sobre eternidade deveríamos saber utilizar muito melhor nossas finanças, sabendo que são um meio para alcançarmos grandes coisas, inclusive propósitos eternos.

Saber negociar o dinheiro nos protege de muitas coisas. A Bíblia diz que a sabedoria oferece a proteção assim como o dinheiro. A sabedoria nos protege dos ignorantes, assim como ela nos ensina a lidar com cada caso, o dinheiro também na mesma proporção nos protege.

O DINHEIRO É UM FACILITADOR DE TEMPO

O dinheiro nos protege porque o dinheiro é um facilitador de tempo. Estamos tendo tempo para tirar férias? Para passear? Ou a falta de dinheiro nos impede disso? Talvez respondamos que não fazemos isso porque não temos dinheiro, contudo, se tivéssemos construído melhor nossas finanças teríamos construído uma estrutura de tempo para tirar férias, passear, descansar.

O DINHEIRO É UM FACILITADOR DE PROJETOS

Quantas coisas gostaríamos de realizar e não conseguimos por falta de recursos – trocar de carro, viajar, comprar coisas novas – no entanto, não temos o recurso nos facilitando esse processo. A má gestão do dinheiro, além de não ser um facilitador, faz com que seja um complicador, fazendo-nos pagar mais caro pelas coisas, fazendo nosso dinheiro desvalorizar. Quantos projetos novos desejaríamos começar e não temos dinheiro para isso? A falta de recursos se torna um complicador em nossa vida.

Há pessoas que dizem que dinheiro não é algo sobre o que devemos aprender, estudar ou pensar muito. Mas temos, sim. Há pessoas que ainda acreditam que é o diabo quem manipula o dinheiro. Esquecem que uma das coisas que a Bíblia mais ensina é como o homem deve lidar com o dinheiro, com as coisas criadas por Deus. Se Deus colocou um pouco em nossas mãos, ele quer que sejamos negociadores, que saibamos como lidar com esse dinheiro. Aprendamos a negociar o nosso dinheiro, não saiamos comprando tudo, sem medir consequências. Se aprendermos a lidar com o dinheiro, teremos facilidade para fazer bons negócios. Sejamos bons negociadores, isso não nos torna homem ou mulher santos, pelo contrário, teremos que aprender a ser senhores das nossas riquezas, ter domínio sobre elas. Aprendamos uma coisa:

SE NÃO SOUBERMOS COMO LIDAR E O QUE FAZER COM O DINHEIRO, O MUNDO SABE BEM COMO TOMÁ-LO DE NÓS.

Não sejamos ingênuos a ponto de não entender isso. O mundo está todo preparado para tomar nosso dinheiro, para endividar-nos. Não pensemos que não há planos dos grandes magazines e grandes empresas para, de algum modo, tomar nosso dinheiro, justamente porque sabem lidar com o dinheiro e negociá-lo.

Se estamos dentro de um sistema em que não sabemos lidar com o dinheiro, ele será um complicador para nossa vida e não um facilitador. Primeiramente, não nos condenemos, comecemos, a partir de hoje, uma nova forma de lidar com isso. Nosso dinheiro não é nosso senhor, estamos acima dele. Aprendamos a negociar o nosso dinheiro, aprendamos que ele está debaixo do nosso comando e não dos outros. O nosso dinheiro é uma gestão nossa. Busquemos na Palavra de Deus como andar da maneira correta com as nossas finanças. Sejamos bons gestores. Mesmo que já tenhamos errado muito nessa área, possivelmente estejamos endividados, é hora de mudar. Deus trabalha com libertação, com perdão e com transformação a partir da prática dos princípios. Quando, naquele dia, depois da leitura daquele livro, entendi que precisava ajustar as minhas finanças, a minha vida nunca mais foi a mesma. Levei dois anos para ajustar tudo. Ao invés de sempre estar gastando o que eu não tinha, eu comecei a juntar para controlar e gerir todo o meu dinheiro. Deus é Senhor sobre a minha vida e, por isso, posso ser senhor sobre o meu dinheiro. Mesmo sendo um pastor, as pessoas passaram a me conhecer também como um bom negociador.

A última coisa que quero ensinar, nesse conselho, é: sejamos mais astutos. Observemos o texto:

O senhor elogiou o administrador desonesto, porque agiu astutamente. Pois os filhos deste mundo são mais astutos no trato entre si do que os filhos da luz.

Lucas 16:8

Depois, recomendo ler o capítulo todo, e a parábola toda, todavia, nos atentemos, por enquanto, a esse versículo. Observemos que Jesus elogia a forma que aquele administrador lidou com o recurso. Mesmo sendo ímpio e desonesto ele foi astuto. Quem dirá nós que somos filhos de Deus, podemos ser astutos, no bom sentido, em relação ao nosso dinheiro. Quantos crentes são ingênuos e ignorantes em relação a forma como negociam. Lembremos, se não sabemos lidar com nosso dinheiro, o mundo está pronto para tomá-lo. Aprendamos a ser negociadores, não é pecado e colheremos muitos benefícios.

33

SEJA PACIENTE JUNTANDO AOS POUCOS

A forma de Deus trabalhar é sempre através da verdade.

O dinheiro ganho com desonestidade diminuirá, mas quem o ajunta aos poucos terá cada vez mais.

Provérbios 13:11

Aqui está falando sobre ganhar dinheiro com pressa ou juntar com solidez. Precisamos saber construir as coisas com os fundamentos corretos. Muitas pessoas vão à bancarrota em suas vidas, em seus casamentos, em suas vidas emocionais, exatamente porque não constroem sobre o fundamento correto. Uma pessoa que vai fazer uma formação superior, estuda, ao todo, por volta de 20 anos da vida, para trabalhar mais 30 anos e se aposentar. Analisemos: estudamos 20 anos, trabalhamos outros 30 anos de carreira profissional para depois nos aposentar. O casamento, quando entramos, não tem data para terminar. Somente com a morte. Então, um casamento pode durar, 20, 30, 40, 60 anos da vida de uma pessoa. Há pessoas que não estudam um único dia sequer sobre as verdades de Deus acerca do casamento. O marido não aprende com a Palavra como ele deve ser, e da mesma forma a mulher. Nesse seguimento, chegam as lutas, as tempestades e o casamento acaba destruído, em razão de não saberem fundamentar as suas vidas.

Vamos trazer esse exemplo para a área de finanças. Precisamos aprender segundo os princípios da Palavra de Deus a construir uma vida financeira sólida, colocando tijolo após tijolo. Têm muitos cristãos que, sem treinar a mente e o coração, sem conversão do seu caráter e da sua maneira de lidar com o dinheiro, querem ficar prósperos. Quem espera ficar rico dessa maneira, geralmente, é capaz de ceder e quebrar as regras para alcançar riquezas mais rápido. A Bíblia explica que esse tipo de riqueza diminuirá. Precisamos construir nossas finanças à luz da verdade de Deus. E essa construção é progressiva, tijolo por tijolo. Não é somente uma oração de um momento que muda as nossas vidas, são, igualmente, as atitudes que vamos tomando até construirmos da maneira correta. Muitos pastores e líderes não constroem uma vida financeira, dizem que, ao final da vida, o Senhor irá cuidar deles. Sim, Deus cuida, porém, a forma de Deus trabalhar é com uma mudança de entendimento que pode começar já cedo em nossas vidas. A forma de Deus trabalhar é sempre através da verdade. Muitas pessoas querem simplesmente uma adivinhação do seu futuro, e Deus não trabalha com adivinhação, ele trabalha com instrução. Nós somos mordomos das coisas de Deus. Tudo o que temos em nossas mãos está sobre nossa supervisão para cuidar, mas tudo é de Deus, e um dia nós seremos cobrados pelo que fizemos com tudo o que Deus nos confiou. Nem os filhos são nossos. A Bíblia diz que eles são herança do Senhor.

Em relação às nossas finanças, como está a nossa mordomia? Como fundamentamos a nossa vida com dízimos, ofertas e primícias? Será que a palavra de Deus tem exercido mudanças em nossa vida? Precisamos pensar sobre isso. Temos programado os nossos dias? Pensado e analisado sobre quantos anos iremos viver e como viveremos esses anos que ainda temos? Quando jovens, temos um vigor de juventude que não teremos para sempre. Necessitamos, sendo assim, construir (ainda jovens) para viver nossos últimos dias de uma maneira melhor.

Sempre dou o exemplo do funil. Todos entram pela parte larga e vai apertando. Nós, como cristãos que vivem de acordo com a Palavra de Deus, temos que entrar pela parte apertada do funil e, no fim da vida, podermos desfrutar da construção de riquezas. Precisamos construir finanças começando do pouco e com paciência. Aproveitemos. Quem for novo, comece a investir pequenas quantias em prazos longos, para que aquilo que hoje é pouco se torne muito lá na frente. Isso exige organização financeira. Organização faz sobrar renda. Atualmente, há uma série de pequenos investimentos que já podemos começar a fazer. Para ser um bom mordomo é necessário saber que de pouquinho em pouquinho juntamos muito. O conselho é pontualmente esse: Comecemos juntando aos poucos, guardemos com paciência, não queiramos ganhar dinheiro de forma desonesta, iniciemos agora mesmo a juntar, investir, pensar no futuro, pensar no momento em que não teremos mais tanta energia para trabalhar e construir riquezas.

Aproveitemos esse momento, agora. Somos mordomos de Deus. Chamados para cuidar bem de todas as coisas que ele coloca sobre as nossas vidas. Principalmente cuidar de nossas finanças, para que elas cuidem de nós mais tarde. Ser sábio em relação ao dinheiro faz toda a diferença. Não amar o dinheiro, não ter apego ao dinheiro, não ser preso ao dinheiro, mas saber usá-lo, ajuntá-lo e investi-lo. Todos que são bons mordomos daquilo que tem do Senhor, só colherão coisas boas. Investir, hoje, fará colhermos em nossa velhice. Não tenhamos pressa para ter tudo o que queremos, entretanto, tenhamos pressa para começar, já, a economizar. Ajuntemos aos poucos e isso se tornará sólido em nossa vida.

34

DEUS QUER MULTIPLICAR AS NOSSAS FINANÇAS

Se o dinheiro não fosse importante não passaríamos metade da vida trabalhando arduamente para tê-lo.

Então você devia ter confiado o meu dinheiro aos banqueiros, para que, quando eu voltasse, o recebesse de volta com juros.

Mateus 25:27

Nesse treco, há uma figura de linguagem, uma parábola. Jesus está contando uma história, de um senhor, um rei que partiu deixou as suas posses com os seus servos e um dia pediria conta do que ele entregou. Precisamos sempre pensar que não somos alienados àquilo que Deus colocou em nossa mão, nós daremos conta de tudo. Nós daremos conta do casamento, dos filhos, dos bens e de tudo o que está nas nossas mãos. O primeiro passo é entender corretamente sobre mordomia. Pouco se ensina sobre isso na Igreja.

Tenho dito, constantemente, que muitos ensinamentos dentro de ambientes cristãos falam apenas de pagar as contas. A Bíblia fala de temas mais abrangentes e coisas muito mais profundas sobre isso. Faz-se mister termos a consciência dos princípios de dizimar, ofertar e primícias, isso é padrão, mas um conceito ainda mais poderoso é o princípio de mordomia. Precisamos entender que seja pouco ou muito, Deus colocou algo em nossas mãos.

Primeiro, vamos falar de multiplicação de bens. Temos que multiplicar tudo aquilo que Deus coloca em nossa vida. Isso já começa a partir da salvação da nossas vidas. Quando somos salvos, não podemos reter isso para nós, pelo contrário, temos que transmitir aos outros, através do testemunho, da pregação do evangelho e muito mais. Existe uma ordenança de Jesus para irmos por todo o mundo pregando o evangelho do Reino e levando a salvação as pessoas. A Bíblia diz que Abraão vivia a sua vida dando glórias a Deus. Isso não significava que a cada passo ele estava gritando aleluia, glória a Deus. Quer dizer que cada bênção de Deus vinda sobre ele era acompanhada de um reconhecimento de que era divino e não meramente por sua capacidade. Tudo o que se multiplicava na vida de Abraão, glorificava a Deus. Portanto, tudo o que se multiplica nas nossas vidas segundo a vontade do dEle, o glorifica. Não podemos reter nenhuma glória para nós, carecemos, sempre, devolver a glória a Ele.

Há algumas pessoas que nos questionam por que ensinamos tanto sobre finanças, achando que deixamos de lado a devoção a Deus, isso está longe da verdade. Em nenhum momento, quando ensino sobre finanças, deixo de lado a devoção a Deus, que é o principal da vida humana. Essa é a prioridade. O dinheiro é importante e precisamos falar sobre ele. Se o dinheiro não fosse importante não passaríamos metade da vida trabalhando arduamente para tê-lo. O maior tempo que gastamos na sua vida com trabalho é em função do dinheiro também. O dinheiro é importante e muitas pessoas nunca aprenderam a multiplicar o que ganham. Estes, gastam horas e horas "correndo atrás do dinheiro", contudo, não têm a sabedoria para multiplicá-lo.

O dinheiro tem um papel fundamental em nossas vidas e não podemos negar. A maioria das pessoas trabalha de 8 a 12 horas por dia, durante anos, a fim de uma recompensa financeira.

O segundo princípio desse conselho é a verdade de que um dia teremos que prestar conta daquilo que Deus nos deu e dá. Como cuidamos do nosso dinheiro? Como nos envolvemos com essa realidade?

Eu sempre lembro de fazer uma experiência com todas as pessoas novas que se achegam à nossa equipe de ministério para trabalhar. Quando alguém era contratado, eu dava uma nota de R$ 50,00 reais, toda bonitinha, limpinha, reta, e pedia para aquela pessoa comprar um refrigerante para mim. Quando a pessoa voltava com o refrigerante, na maioria das vezes, o troco vinha todo amassado e bagunçado. Na hora eu perguntava: "Eu te entreguei um dinheiro certinho e arrumado, por que o troco você está devolvendo todo amassado?" Era sempre uma experiência de aprendizado incrível. O que eu estava tentando ensinar e mostrar era que, de algum modo, ela não estava cuidando com zelo daquilo que eu tinha confiado à mão dela. Ela não sabia cuidar do dinheiro que tinha lhe dado, e se havia dificuldade em cuidar do meu dinheiro, como cuidaria das outras coisas? O fato de lidar de qualquer jeito com aquele dinheiro, amassar, enrolar, mostrava que talvez houvesse um problema de mordomia no coração daquela pessoa. Eu aproveitava e ensinava que o princípio de mordomia funciona desde as pequenas coisas.

Temos de ter sabedoria e capricho com tudo que temos, justamente devido a esse princípio. Como tratamos o nosso dinheiro? De qualquer jeito, ou com sabedoria, entendendo a importância dele? Como investimos o nosso dinheiro? Paramos de 5 a 10 minutos do nosso dia para pensar nisso ou o tratamos de qualquer jeito? Se tratamos o dinheiro de qualquer jeito, nossa recompensa será de qualquer jeito. Temos que ter claro que o dinheiro, Deus dá para que o multipliquemos.

Agora, quais são as formas de multiplicação que Deus nos dá?

1. Uma das primeiras e mais importantes formas de multiplicação é através da semeadura

Lembrem-se: aquele que semeia pouco, também colherá pouco, e aquele que semeia com fartura, também colherá fartamente.

2 Coríntios 9:6

Esse princípio não se aplica somente ao dinheiro, e sim a todas as esferas da vida. Se aplica em todos os relacionamentos. Em todos os relacionamentos, semeamos para colher. Com cônjuge, com os amigos, com os filhos. A nossa semeadura define os frutos dos nossos relacionamentos.

2. A segunda forma para multiplicar as riquezas é ajudar os pobres

Temos que sempre estar próximos e abençoar os mais necessitados e vulneráveis. Como a parábola do bom samaritano, que nos mostra que não devemos só saudar os pobres e saber que eles existem, no entanto, devemos prover ajuda a eles. Não podemos passar ao largo de situações de necessidades, das quais podemos ser uma resposta de ajuda.

Quem trata bem os pobres empresta ao Senhor, e ele o recompensará.

Provérbios 19:17

Olha que bênção esse texto. Quem abençoa os pobres é recompensado pelo próprio Deus. Conversava, recentemente, com um pastor amigo que trabalha com justiça social, levando comida para moradores de rua. Hoje, diante das minhas atividades no ministério, eu não tenho tempo para fazer isso, todavia, posso ajudar financeiramente para que esse trabalho continue e avance. Todas as semanas nós abençoamos financeiramente esse projeto para que ele continue. Nós devemos proporcionar o que pudermos para as pessoas que não têm um teto para dormir, um cobertor para se cobrir e uma refeição para fazer. E a recompensa disso vem do próprio Senhor. Quando compreendemos isso jamais passaremos ao largo dos pobres, vamos sempre ajudar. É importante entendermos que ajudando os pobres, nunca vai nos faltar.

3. A terceira forma para se multiplicar riquezas é investir

A partir de R$ 5,00 reais, podemos começar a investir – no mercado de serviços do país, no mercado imobiliário, em ações. Podemos, hoje mesmo, abrir uma conta em uma financeira de investimentos e começar a ter o hábito de poupar todos os dias. Isso faz com que as riquezas se multipliquem no longo prazo.

Realizei uma enquete no Instagram, a pouco tempo, colocando três opções de Igrejas que as pessoas gostariam de congregar. As opções eram se as pessoas preferiam uma Igreja que prega exclusivamente sobre salvação, outra que prega sobre cura, ou uma que pregasse somente sobre prosperidade. As pessoas começaram a dar as mais diversas respostas, tais como: "Prefiro morrer pobre, mas não ir para o inferno", ou "Prefiro ser curado e ter saúde e viver pobre". Poucos sabiam que a enquete foi intencional, para mostrar que não podemos fazer essa divisão, porque ela não existe na Palavra do Senhor. Esse tipo de divisão acontece pelo erro e engano das pessoas na compreensão bíblica. A salvação das pessoas não tem somente relação com levar as pessoas para o céu.

A salvação fala de três níveis: a justificação, que é o que nos livra da condenação eterna do inferno; a santificação, que envolve a nossa vida diária, é o que fazemos com a nossa vida, o que desenvolvemos, como lidamos com a mordomia em todas as áreas da vida; e a glorificação, que fala do dia que em viveremos eternamente com Cristo, não mais no cativeiro da corrupção do mundo. É quando aquilo que é mortal, que é o nosso corpo físico, se revestirá de imortalidade e viveremos com Cristo por toda a eternidade. A salvação envolve todas as áreas da vida. Não é somente um passaporte para nos levar ao céu. Jesus pagou o preço completo. E esse preço envolve todas as áreas de nossa vida, desde a nossa maneira de lidar com os pecados e dificuldades, passando pela maneira como vivemos nossos relacionamentos, até a forma que lidamos com nosso dinheiro. Muitas das pessoas que responderam a enquete estavam mais cheias de uma ideologia religiosa do que um padrão divino. Temos que ter uma visão mais completa da salvação de Deus. Uma visão que toca nossa casa, nossas famílias, nossas finanças, a ponto de tudo o que fizemos prospere. Dentro do conceito de salvação está mordomia em relação ao seu dinheiro. Isso não atrapalha e impede a devoção a Deus, pelo contrário, potencializa ainda mais o seu relacionamento com esse Deus que tanto amamos.

Amar a Deus também é cuidar daquilo que Ele nos dá.

Não podemos fazer nenhuma distinção, salvação ou dinheiro ou cura. Não, tudo isso está envolvido e entrelaçado. A devoção ao Senhor sempre virá em primeiro lugar em tudo, não pode ser trocada por nada, porque

Deus não pode ser amado meramente por aquilo que Ele nos dá. Deus não é supermercado. Ele deve ser amado por quem Ele é. Porém, amar a esse Deus envolve sermos obedientes e fazermos com que todas as outras áreas da vida o glorifiquem. E sempre que multiplicamos através da boa mordomia, o glorificamos.

35

PARA JUNTAR RIQUEZAS, DEVE HAVER ADMINISTRAÇÃO

A falta de organização fará com que as coisas que façamos fiquem inacabadas e, um dia, essa situação pode nos envergonhar.

Qual de vocês, se quiser construir uma torre, primeiro não se assenta e calcula o preço, para ver se tem dinheiro suficiente para completá-la?

Lucas 14:28

Muitos cristãos, muitos mesmos, não poucos, criam uma falsa ilusão em relação às finanças, criam suas ilusões distantes da Palavra de Deus. Muitos querem juntar riquezas como num passe de mágica. Como a propaganda da loteria mostra. Dados do último ano apontam que as loterias federais, que são legalizadas pelo governo, (não vamos nem falar das ilegais) arrecadaram 17 bilhões de reais. O que leva as pessoas a jogarem nas loterias? Geralmente traídas pela sua mente, por si mesmas, no desejo de ficarem ricas, rápido e fácil, fazem a famosa "fezinha" para que possam ganhar. Fazem tentativas e jogam inúmeras vezes na esperança de que, em algum momento, consigam. Por que isso acontece? Essas pessoas nunca deixaram sua mente ser renovada segundo a vontade de Deus. Quando Romanos (12:2) fala da renovação da mente, o primeiro ponto é não se moldar aos padrões, aos sistemas desse mundo. Quando não nos moldamos ao mundo e deixamos a nossa mente ser renovada, passamos a experimentar a boa, agradável e perfeita vontade de Deus. Muitas pessoas paralisam justamente no fato de terem que se desenvolver, treinar e ter a mente renovada.

Analisando o texto que lemos, fica claro o que Jesus quer dizer. Que tudo envolve um treinamento e uma administração. Os versos seguintes dizem que isso deve ser feito para que outros que vejam a obra inacabada não usem de chacota para com aquele que não conseguiu concluir a obra. A grande questão é terminar aquilo que começamos. Quantas pessoas não terminam aquilo que começam em nada na vida. Começamos um plano de férias e nunca realizamos? Já desejamos aprender algo e nunca começamos? Ou começamos, mas paramos no meio do caminho? Muitas pessoas não trabalham e desenvolvem a sua mente num ambiente de completar as coisas. E terminar o que não começa é um dos maiores fracassos. A organização para que possamos concluir as coisas que começamos é um dos maiores fundamentos para a prosperidade. Sem isso, parece que o dinheiro que "entra pela porta sai pela janela". Ficamos com a impressão de que quanto mais ganhamos, mais gastamos, quanto mais dinheiro entra, mais sai, não importa se a quantidade é grande ou pequena, não faz diferença, com pouco ou muito, sempre parece que a entrada é a ponta do funil e saída é a parte larga e sempre há mais saídas do que entradas. Isso acontece, em diversos casos, por falta de organização.

Existe um fracasso enorme de pessoas salvas, bons crentes, de pessoas boas que não conseguem ser bem-sucedidas nas finanças porque não treinaram a sua mente para administrar. Toda pessoa que administra bem os seus recursos tem muito mais chance de ser usada pelo Senhor, está muito mais apta a produzir milagres. Deus usa pessoas organizadas, o inimigo usa pessoas desorganizadas. A falta de organização fará com que as coisas que façamos fiquem inacabadas e, um dia, essa situação pode nos envergonhar. Isso pode nos fazer entrar em furadas e vivermos ambientes que não gostaríamos e nem precisaríamos viver. Alguém que não tem tempo para nada é alguém que não possui uma boa administração do seu tempo. Quando verbalizo que não tenho tempo para aquilo que é realmente importante, estou mostrando o meu nível de desorganização. E sempre que estamos desorganizados isso vai refletir em deixarmos as coisas pela metade, podemos acabar deixando pela metade coisas que são realmente importantes.

Em um curso que ministrei, disponibilizamos uma planilha para os alunos para que eles pudessem se sentar, analisar e passar a treinar a sua mente dentro de uma organização. Quando olhamos uma planilha, por exemplo, pode parecer meio confuso e isso acontece porque nossa mente não está treinada e acostumada a obedecer a uma série de parâmetros de organização. A planilha ajuda-nos a entrar dentro de uma boa organização financeira. Existem muitas ferramentas nessa área que podem nos ajudar a organizar as nossas vidas financeiras. Vou dar alguns conselhos simples e práticos que já podemos aplicar em nossa vida. Se não organizamos nossa vida e vivemos um caminho em estilo "deixa a vida me levar", veremos as coisas inacabadas e isso poderá frustrar-nos. Pessoas assim não avançam, não crescem e estão sempre ruins financeiramente. Vamos aos conselhos:

1. Nunca, em hipótese nenhuma, gastemos mais do que ganhamos. Façamos um limite do que podemos gastar. Se ganhamos X, é impossível sobreviver gastando XY todos os dias. Precisamos ajustar os nossos gastos dentro da nossa condição.

2. Não compremos fiado. Evitemos ao máximo. Não compremos para nos sentirmos felizes. Quantas pessoas colocam o centro da sua felicidade naquilo que elas compram; o nosso centro de felicidade não pode ser aquilo que compramos ou naquilo que gastamos. Não há limite para isso. Todos os dias haverá algo

novo para que possamos comprar, ou um novo lugar para que possamos gastar. Podemos ser acumuladores ou nos endividarmos por isso. Nós não precisamos de tudo o que a mídia e as pessoas dizem que precisamos. Não podemos ser viciados em gastar. Viciados em ter uma coisa nova todos os dias.

3. Não compremos porque temos crédito. Se as pessoas estão oferecendo crédito é porque elas querem nos tirar dinheiro. Toda a vez que usamos o crédito, estamos, de algum modo, perdendo-o. Crédito é sempre melhor ter do que usar. Não olhemos para o nosso crédito disponível como uma tentação ao gasto, e sim como uma conquista de um bom nome que, em uma emergência, pode nos ajudar.

4. Façamos o nosso dinheiro sobrar. Programemos nossos recursos para sobrar. Quantos anos de trabalho temos, quanto ganhamos, quanto podemos gastar, qual o custo das suas coisas por dia. Achemos um valor comum entre o que ganhamos e o que gastamos e façamos as mudanças necessárias para que haja a possibilidade de sobrar sempre. Nem que seja pouco, entretanto, é extremamente importante sobrar. Se começarmos a nos organizar e fazer sobrar um pouco em cada dia, em anos, esse valor aumentará consideravelmente. Principalmente se seguirmos o próximo conselho!

5. Investir aquilo que tem sobrado. Peguemos o pouco que estamos conseguindo guardar e fazer sobrar e invistamos a longo prazo. Podem ser pequenas quantidades, contudo, os prazos devem ser longos. Não pensemos a curto prazo. Hoje, podemos entrar no mercado de ações com apenas 5 reais. Isso é um refrigerante por dia. Não deixe de investir. Primeiro, façamos sobrar e, depois, é hora de investir. O próprio Jesus ensinou isso na parábola dos talentos, ele celebra aqueles que multiplicaram seus talentos e critica veementemente o servo que não investiu o seu talento. Esse, não soube se organizar para poder multiplicar o recurso do seu senhor.

Um fator importante que precisamos entender é que a nossa organização externa sempre vai ser um reflexo da nossa organização interna. Não tem como ser diferente. Pessoas muito desorganizadas aqui fora, mostram relances de uma falta de organização interior. Se alguma coisa está desajustada no seu interior, vai refletir na sua organização exterior. Se o seu casamento está mostrando desequilíbrios, provavelmente dentro de você e do seu cônjuge há algum desequilíbrio. Se suas finanças estão sempre desorganizadas, provavelmente haja uma desorganização em algo no seu coração. Quando moramos em uma casa malcuidada, mato alto, lixo jogado, coisas jogadas, provavelmente, estamos desajustados, desalinhados e malcuidados.

Por isso temos a profunda necessidade de sermos treinados e desenvolvidos em nosso interior com Deus, para que esse cuidado se reflita em uma boa organização financeira no lado de fora. Não podemos nos amoldar ao erro desse mundo, mas termos a nossa mente renovada e transformada. Tudo o que formos construir, construamos com organização para que não termine no meio do projeto e sintamo-nos envergonhados. Em cada etapa de nossa vida precisamos avaliar, reavaliar, reorganizar e colocar as coisas em ordem para que possamos avançar. Avançar como alguém organizado e como um bom administrador vai fazer uma diferença gigante em nossa vida.

A organização vai nos levar a projetar a longo prazo. Comecemos projetando o nosso mês. Organizemos o nosso mês nos primeiros dias. Logo, iremos planejar e organizar o nosso ano.

Eu, hoje, organizo uma década. Eu faço meu planejamento em cima de uma década. As coisas mudam, no entanto, se tiver uma boa projeção e uma boa organização estarei apto até para vencer os desafios novos que possam aparecer no meio do caminho.

Nossas vidas devem ser um grande projeto de desenvolvimento e crescimento que honre e glorifique a Deus. A organização produz um ambiente de milagres em nossas vidas, e que possa, realmente, produzir na sua que está lendo esse livro.

36

FAÇA O SEU DINHEIRO RENDER

Não se desenvolve nada sem antes uma mudança de consciência.

Então, chamou dez dos seus servos e lhes deu dez minas. Disse ele: 'Façam esse dinheiro render até à minha volta'.

Lucas 19:13

Aqui, nesse texto, a primeira coisa que vemos é o senhorio. Nossa relação com finanças muda completamente quando entendemos acerca do senhorio. Mas, a primeira coisa que devemos pensar é sobre "Quem é o nosso Senhor? A quem servimos? A quem dedicamos a vida?" Se nós estivermos bem certos em relação ao senhorio de Jesus sobre nós, temos campo para avançar. Se estiver bem claro em nós que Jesus Cristo é o nosso Senhor, o nosso redentor, nosso libertador e o único que é digno de toda a nossa adoração e rendição, então nossa relação com as outras coisas também estará correta e no lugar certo.

Dito isso, precisamos pensar a forma que respondemos a esse senhorio de Jesus sobre nós e como está desenvolvido esse lugar de autoridade de Jesus em nós. Temos um senso de obediência em relação ao que Jesus colocou sobre nossas mãos e que nos leva a dar uma resposta a isso, ou somos o tipo de pessoa que larga tudo como se eu não tivesse que dar conta de nada? Já falamos sobre isso, todavia, preciso enfatizar novamente, em relação a finanças, todos nós iremos prestar contas da mordomia. Nós não somos donos de nada, nós somos apenas mordomos de tudo o que Deus colocou em nossas mãos.

Como fazer nosso dinheiro render? Como cuidar bem do que Deus colocou em nossas mãos? Primeiramente, devemos ter essa consciência de que o que Deus colocou em nossas mãos foi para multiplicar. Não se desenvolve nada sem antes uma mudança de consciência. Precisamos saber claramente que o recurso que vem à nossa mão é para ser multiplicado. Isso precisa estar desenhado em nosso consciente para que consigamos dar a resposta correta toda a vez que o recurso chegar em nossas mãos. Não importa se Deus colocou muito ou colocou pouco, e se for pouco, provavelmente é um processo de tratamento de Deus; se mesmo com o pouco tivermos essa consciência, até a maneira de lidar com esse pouco já vai ser diferente. Sem fidelidade no pouco, não há como ser colocado no muito. As pessoas já querem começar grande.

Eu fui um evangelista pelo mundo, viajei vários lugares pregando o evangelho e, certa vez, um jovem rapaz chegou para mim e disse que queria ser um pregador do evangelho no mundo porque tinha um chamado para isso. Perguntei o que ele já desenvolvia na sua igreja local, no seu bairro, na sua cidade ou meramente com os vizinhos. Ele me respondeu nas palavras dele que: "Isso era muito pequeno, meu chamado é para as nações..." Esse pensamento infelizmente ronda a cabeça de muitas pessoas em relação a várias coisas. Disse-lhe que estava errado, pois se ele não fosse fiel no pouco, Deus não o colocaria no muito.

O QUE ACHAMOS POUCO, PODE SER MUITO PARA DEUS. O PEQUENO, PODE SER ALGO QUE DEUS QUEIRA QUE FAÇAMOS PARA ABRIR-NOS OUTRAS PORTAS.

Sem essa relação correta de fidelidade, as coisas não avançam. É preciso ter certeza de que o que temos na mão, hoje, foi exatamente o que Deus nos deu, então caminhemos com fidelidade.

Deus gosta de multiplicação. Multiplicar está no DNA de Deus.

Vou fazer uma reflexão: Pensemos no Jordão, o Mar da Galiléia e o Mar Morto. São três elementos ligados. O Jordão nasce no monte Hermom, que é uma grande cadeia de montanhas e, na maior parte do ano, fica em gelo. Com o desgelar do monte Hermon, começam pequenos veios de águas que vão formar o rio Jordão. O Jordão corre por alguns quilômetros até entrar no mar da Galiléia. Ele entra em uma medida e vai sair numa medida muito maior. Dentro do mar Galiléia ele vai gerar vida. Jesus desenvolveu grande parte do seu ministério naquela região, e fez muitas coisas próximo do mar da Galiléia. Seus feitos estão registrados mais naquela região. O mar da Galiléia representa a multiplicação da vida. Quando o rio Jordão sai do Mar da Galiléia ele novamente vai formar outro canal, agora com muito mais quantidade. É inexplicável, porém, é exatamente isso que acontece. Na nossa vida também é assim, tudo começa pequeno, começa com o pouco, e à proporção que recebemos a vida de Deus, vai se multiplicando de forma sobrenatural. Deus vem entrando com o pouco, vamos trabalhando todos os princípios de multiplicação de riquezas que podemos, e a vida de Deus em nós vai gerando multiplicação. Depois de passar pelo mar da Galiléia, o rio Jordão corre para o Mar Morto, um lugar que não tem saída. Todo aquele volume da água que o mar morto recebe veio de um ambiente de multiplicação, de vida e morrerá dentro do Mar Morto, considerando que ali não tem mais saída para nada. Esse é o grande problema do Mar Morto, e é por isso que ele é chamado dessa maneira, ele não tem saída. Ele não escorre para lado nenhum, as águas dele não tocam mais ninguém. Assim é na vida de muitos cristãos. Eles podem até receber algo que veio de uma multiplicação de vida, mas não tem saída e tudo que chega até eles, morre neles. Tudo acaba, não se multiplica, não avança, não cresce. As pessoas recebem uma informação, pegam uma instrução e matam em si mesmas, não passam para a frente, não abençoam outros. Recebem um dinheiro e logo destroem, gastam tudo. Tudo o que vem nesse tipo de pessoa, morre nela, porque não tem saída. Não houve uma transformação, uma multiplicação, o trabalhar de Deus para que essa pessoa pudesse expandir aquilo que recebeu. Pessoas que não multiplicam o que têm são pessoas em que tudo que para nelas acaba morrendo.

Um dia, uma pessoa que vendia temperos no semáforo veio pedir a minha ajuda para crescer. Lógico que não havia problema em ela vender os produtos no semáforo, sem embargo, se ela quisesse crescer teria de haver uma mudança de mentalidade para poder multiplicar. Alguma informação que ela recebeu tinha parado nela e estava paralisada somente vendendo seus temperos no semáforo. Disse a ela que precisava romper com aquelas crenças limitantes que impediam ela de avançar. De abrir um negócio de temperos, de vender no atacado, de vender para grandes centros. Algo precisava mudar na mentalidade para que não morresse nela. Muitas pessoas precisam receber a vida de Deus e multiplicar.

Muitas vezes, nossas vidas têm sido como o Mar Morto, nos travando e nos impedindo de avançar. Eu sempre digo que o Jordão é a receita, aquele recurso que está entrando em nossa vida. O mar da Galiléia é a condição de transformação e multiplicação daquela receita que está entrando e, o Mar Morto é o lugar de morte, de destruição, que quer pegar nossa receita e fazer morrer, desaparecer. É aquilo que quer nos tirar do lugar da vida e da multiplicação de Deus. Isso deve ser erradicado das nossas vidas. A água do Mar Morto não se renova, tem um alto índice de salinidade, não há como se criar nenhum tipo de vida no Mar Morto. Já paramos para pensar sobre isso? Não tem como existir vida no Mar Morto. Nenhuma espécie de vida tem condição de subsistir nesse ambiente. Os nossos recursos, nosso dinheiro, aquilo que Deus nos deu não pode acabar morrendo nesse ambiente.

EM QUAL AMBIENTE ESTAMOS, NO MAR DA GALILÉIA, RECEBENDO DO JORDÃO E MULTIPLICANDO, OU SOMOS COMO O MAR MORTO ONDE TUDO O QUE CHEGA ATÉ NÓS ACABA MORRENDO?

Tudo o que recebemos em nossa vida, somos chamados a multiplicar. Se recebemos amor, devemos multiplicar amor, se recebemos honra, devemos multiplicar honra. Toda semente que cai em nossa mão, precisamos aprender a multiplicar. Uma história inspiradora é a de José no Egito. Como Deus prosperou ele dentro de um ambiente extremamente difícil. Chegou ao Egito como escravo, dentro da camada social mais insignificante daquele poderoso povo e se tornou o governador de toda aquela terra. José criou um modelo que deve ser seguido. Quando interpretou o sonho de Faraó, que simbolizava que viriam 7 anos de fartura e 7 anos de fome para todo povo do Egito. O conselho de José a Faraó dizia que ele deveria colocar alguém sábio a frente desse povo para gerenciar no tempo de bonança para que não faltasse no tempo de crise. Faraó entendeu que José era a pessoa certa para isso e ele se tornou o governador da nação mais desenvolvida e poderosa da época. Nos anos de fartura, José faz a famosa aplicação 80x20, conhecida e desenvolvida nos mais variados ramos. Isso está em todo mundo: 20% das riquezas do mundo, por exemplo, têm a riqueza que os outros 80% não possuem. José tira 20% de tudo o que ganha como uma maneira de guardar, poupar para estar preparado no tempo de crise que viria sobre o Egito. Na época da crise, José conseguiu enriquecer mais ainda porque soube poupar no tempo de bonança. Isso se vê em toda a história. Sempre quem consegue poupar e multiplicar no tempo da bonança, acaba ficando ainda mais próspero nos tempos de crise. A Bíblia diz que os filhos desse mundo são mais prudentes que os filhos da luz. Estamos vivendo um exemplo disso. As pessoas mais ricas do mundo, com a pandemia da COVID 19, ficaram mais ricas ainda, multiplicaram suas riquezas em tempos de crise. Temos que aprender com isso.

Uma das coisas que mais fere as pessoas é a sua má relação e irresponsabilidade com os recursos que o Senhor as confia. Recebo mensagens todos os dias de pessoas frustradas, desanimadas, desacreditadas por causa das suas finanças. É por isso que Jesus, e a Bíblia de modo geral, ensina tanto sobre esse assunto. Aprendamos a multiplicar tudo aquilo que Deus colocou na sua vida.

37

NASCEMOS PARA EMPRESTAR

Se não soubermos o que fazer com nosso dinheiro, busquemos sabedoria no Senhor.

Pois o Senhor, o seu Deus, os abençoará conforme prometeu, e vocês emprestarão a muitas nações, mas de nenhuma tomarão emprestado. Vocês dominarão muitas nações, mas por nenhuma serão dominados.

Deuteronômio 15:6

O Senhor abrirá o céu, o depósito do seu tesouro, para enviar chuva à sua terra no devido tempo e para abençoar todo o trabalho das suas mãos. Vocês emprestarão a muitas nações, e de nenhuma tomarão emprestado.

Deuteronômio 28:12

Se hoje tivéssemos 100 mil reais para emprestar, qual sensação teríamos? Sensação de alegria? De prazer em dar e emprestar? É Promessa de Deus que tenhamos riquezas, também que emprestemos com a sensação de alegria e prazer em estar fazendo isso. Muitas pessoas adotaram um método mundano de viver, se endividando, se escravizando, muitos cristãos trabalham centenas de horas que não deveriam trabalhar, porque se endividaram e essas horas a mais trabalhadas são para cobrir os juros de prestações que fizeram, de empréstimos, de carnês que criaram no decorrer do tempo.

É preciso compreender que é uma promessa de Deus e, também, uma ordenança em ter riquezas, em adquirir bens, mas devemos esperar Deus abrir o caminho para que isso aconteça, não criemos contas e dívidas que não são necessárias. Se não soubermos o que fazer com nosso dinheiro, busquemos sabedoria no Senhor e busquemos conhecimento para ter discernimento de o que e como fazer.

O cristão deve seguir a Palavra e as ordenanças de Deus para que o milagre aconteça. Deus não tem uma varinha mágica e não vai resolver os problemas de um dia para o outro. Estejamos buscando ao Senhor, peçamos sabedoria para lidar com nossas finanças e nossos recursos, posto que, um dia, prestaremos conta de toda nossa vida, e qual a sensação tivemos quando usufruímos das riquezas que Deus nos deu?

Se, nesse instante, encontramo-nos endividados, com muitas contas atrasadas ou com juros acumulados de contas, paremos por um tempo, façamos uma reflexão interna dos nossos sentimentos e do que temos feito com nossos recursos, com aquilo que Deus tem nos dado e confiado. Talvez, nesse momento, estejamos aterrorizados com nossas dívidas, e chegou um momento em que trabalhamos por causa dos outros, e em função de todas as contas que devemos. Pensemos:

será que temos honrado e glorificado a Deus com nossa vida?

A Bíblia fala que os filhos de Deus não devem tomar emprestado nada de ninguém, nós temos dever em relação à dívida, apenas o amor às pessoas e essa tem que ser nossa convicção, pois, caso contrário, Deus não poderá abrir as portas dos céus e dar os seus melhores tesouros. Qual a Promessa de Deus? A promessa de Deus é que Ele vai abrir o bom tesouro dos céus, e precisamos ouvir a Palavra de Deus, Jesus sempre sinalizou que há diversas maneiras de ouvir a Palavra de Deus, ela é como sementes lançadas, e a Bíblia diz que muitas sementes são lançadas, quando a terra não está preparada para recebê-las, as sementes são jogadas no meio do caminho e não irão germinar. A Palavra de Deus é como a chuva. Isaías (55:10) anuncia: "Assim como a chuva e a neve descem dos céus e não voltam para ele sem regarem a terra e fazerem-na brotar e florescer, para ela produzir semente para o semeador e pão para o que come".

E o propósito do Senhor nessa Palavra é molhar a terra para que a semente brote, para que a árvore cresça e dê frutos, então, todas as vezes que uma Palavra é lançada sobre nós, necessitamos absorvê-la, uma vez que toda água que a terra não absorve vai embora.

Quando era mais novo, havia uma casa – meu avô tinha construído há mais de 50 anos, e em um determinado tempo meu pai precisou demolir, é claro que durante todo esse tempo não chovia abaixo do piso, aquela região estava coberta, entretanto, quando meu pai tirou o piso e começou a embebedar aquela parte do terreno, que antes ficava abaixo do piso, cresceram sementes e nasceram várias plantas, flores, galhos e árvores. Mesmo sendo criança, fiquei muito curioso em ver todas aquelas sementes crescendo depois de tanto tempo, perguntei para o meu tio o porquê aquilo estava acontecendo, se não tinha sementes ali, e meu tio respondeu: "Aqui tinha muitas sementes, mas, antes, elas não podiam germinar porque não tinham água". Durante anos, aquelas sementes ficaram conservadas por um solo seco, e quando veio a chuva deu condições para ela germinar, isso marcou muito minha vida. Quando ouvimos a Palavra de Deus, precisamos germinar, não podemos ser apenas um solo seco que conserva a semente por anos, devemos germinar toda a Palavra e dar frutos.

Paulo diz que não podemos ter uma fortaleza na mente, que nos impeça de fazer as sementes de Deus florescer, quando ouvimos a Palavra de Deus, deixemo-la florescer, e obedeçamos. Uma das bênçãos de Deus é que o seu povo terá para emprestar e não precisará pedir emprestado. Muitas pessoas acreditam em tudo o que dizem nas mídias, na internet, e não acreditam na Palavra de Deus. É preciso absorvermos a Palavra de Deus e quebrarmos a mentalidade de escravo, a mentalidade de uma pessoa dependente do dinheiro, de achar que Deus pode fazer na vida de qualquer pessoa, menos na nossa.

Ouçamos a Palavra, absorvamos a Palavra, hajamos como filho de Deus, como alguém que ama a Deus, e sejamos humildes para aprender sobre finanças, dado que Deus não ama a pobreza, Deus ama o pobre, assim como Deus não ama o pecado, contudo, ama o pecador. Quebremos nossa mente de escravo, Deus diz que nós seremos aqueles que emprestarão recursos financeiros, tomemos isso como uma verdade em nossas vidas e obedeçamos o que Deus ordena.

O rico domina sobre o pobre; quem toma emprestado é escravo de quem empresta.

Provérbios 22:7

Necessitamos mudar nossa consciência e mentalidade de pedinte, a Bíblia afirma que aquele que toma emprestado é escravo daquele que emprestou, visto que, daquele momento em diante, passa a trabalhar para pagar essa dívida, e existem milhares de pessoas escravas de instituições financeiras por causa de empréstimos. Os grandes magazines, que vendem eletrodomésticos, não estão vendendo um produto, estão consumindo nosso dinheiro e nossas inúmeras horas de trabalho, eles usam os móveis, eletrodomésticos para vender o dinheiro deles, sabe por quê? Porque vendem algo que custa R$1.000,00 por R$2.000,00, parcelamos no carnê desses grandes magazines, compramos a longo prazo e trabalhamos inúmeras horas de trabalho para pagar os juros desse produto devido ao parcelado, em vez de descansarmos no Senhor sabendo que haverá um tempo certo para adquirir tal produto, sem desvalorizar nossas horas de trabalho, sem criar dívidas e sem perder noites de sonos por causa de uma dívida que criamos.

Obedeçamos a Palavra de Deus, não tomemos emprestado, esperemos o tempo de Deus, não nos tornemos escravos, tomemos uma decisão. Toda mudança precisa de uma decisão. Se, nesse instante, encontramo-nos com dívidas, tomemos uma decisão de sair desse lugar de escravo e organizemos nossa vida financeira. Precisamos perder a mentalidade de escravo, porque será que Deus precisou tirar Móises daquele lugar e fazer com que ele crescesse com o povo do mais alto escalão e rodeado de riquezas? Para que se perdesse a mentalidade de escravo, pois todo o resto daquela Nação tinha uma mentalidade de escravo, e Deus queria que eles conquistassem novamente a mentalidade de povo abençoado.

Quantas pessoas, nos dias de hoje, pensam como aquele povo, quantas pessoas vivem presas e escravas de uma mentalidade de escravo, e o que devemos fazer para sair desse lugar é nos arrependermos. Sendo assim, arrependamo-nos e comecemos uma nova estação, um novo tempo. Ouçamos, obedeçamos e pratiquemos. O que é praticar? É começar a emprestar, é fazer sobrar nossos ganhos e emprestar. Provavelmente nunca vimos um judeu pobre, e isso acontece porque eles não têm a mentalidade pobre de guardar para si ou criar dívidas, mas sim de emprestar, não é pecado emprestar, pecado é tomar emprestado, é se tornar dependente disso. Hoje, temos a opção de pegar o recurso que sobra no mês para aplicar, colocar em ações e na bolsa de valores, no mercado de imóveis, podemos começar a comprar e emprestar a partir de R$5,00, com esse valor iniciamos a fazer nosso dinheiro gerar dividendos.

Aquele que ganha pouco, aquele que é fiel no pouco, Deus o colocará no muito, não nos preocupemos se o que temos agora é pouco, Deus colocar-nos-á no muito à medida que ouvirmos Sua Palavra, obedecermos os mandamentos e colocarmos em prática o que temos ouvido e aprendido. Não saberemos se o nosso "pouco dinheiro" rende se tivermos mente de escravos e ficarmos criando parcelamentos, empréstimos e vivermos trabalhando para pagar juros. Devemos celebrar uma mentalidade nova, ter uma Metanoia, mudar de mente e de atitudes. Às vezes, estamos tão presos à mentalidade de escravos que tudo o que pensamos está rodeado em pensamentos negativos, medíocres, pobres e miseráveis. Caso estejamos nesse lugar, precisamos, urgentemente, de uma Metanoia em todas as áreas da nossa vida, e não ser mais escravo. As regras do mundo não são nossos padrões, nascemos para emprestar, e não para sermos escravos daqueles que tomamos emprestado. As bênçãos de Deus alcançarão nossa vida, e a única dívida que devemos ter é em relação ao amor a pessoas. Obedeçamos a Palavra de Deus, arrependamo-nos do modelo de vida que estamos levando e pratiquemos os ensinamentos de Deus, não quebremos os princípios, leiamos a Bíblia, até que aquilo se torne uma verdade, uma realidade em nossa vida.

38

NOSSA SEMEADURA DEFINE A NOSSA COLHEITA

Você precisa definir suas semeaduras, para ter boas colheitas.

Não se deixem enganar: de Deus não se zomba. Pois o que o homem semear, isso também colherá.

Gálatas 6:7

Tudo o que Deus coloca em nossas mãos são sementes, são oportunidades para lançarmos. Tudo o que vivemos é resultado das escolhas que praticamos no passado. A Bíblia diz que quem planta pouco, colhe pouco, quem planta muito, colhe muito. Quando falamos sobre sementes e colheitas, estamos nos referindo a todas as áreas da nossa vida, seja ela emocional, espiritual ou financeira, se tudo ao meu redor está desabando emocionalmente, é porque a semeadura não foi boa.

Dêem, e lhes será dado: uma boa medida, calcada, sacudida e transbordante será dada a vocês. Pois à medida que usarem, também será usada para medir vocês.

Lucas 6:38

Lucas (6:38) diz que com a semente que plantamos, receberemos a colheita, com à medida que medimos, seremos medidos, ou seja, precisamos ser bons discípulos de Cristo e entendermos que todas as coisas são sementes que Deus nos dá, por isso precisamos ter boas semeaduras.

VOCÊ PRECISA DEFINIR SUAS SEMEADURAS, PARA TER BOAS COLHEITAS.

Três pontos importantes sobre a semeadura:

1. Onde devemos semear?

Devemos semear em terra boa, semear coisas boas em lugares certos, tudo vai dar resposta diante da terra que você escolher. É fundamental escolhermos terra fértil; sejamos inteligentes com nossas sementes, não joguemos as sementes em qualquer lugar. A Bíblia diz que não devemos gastar palavras com os tolos, isso não irá resolver, e esse é um dos motivos do porquê que vemos as inúmeras brigas e discussões que ocorrem não levarem as pessoas a lugar nenhum – não geram frutificação na vida das pessoas.

Um agricultor que espera colher não planta em qualquer lugar; planta na terra certa, onde sabe que haverá uma boa colheita, assim como uma pessoa inteligente joga suas sementes numa terra adubada e pronta para frutificar.

2. Preparar nosso coração para a colheita.

Muitas pessoas não entendem a fé. Ela é como um músculo espiritual, talvez não vejamos, não obstante, precisamos acreditar que ela existe. Necessitamos exercitar nossa fé, tornar ela uma habilidade de fé, pois a nossa mente espiritual tem o mesmo gerenciamento da nossa mente natural.

Ora, a fé é a certeza daquilo que esperamos e a prova das coisas que não vemos.

Hebreus 11:1

Um exemplo, hoje em dia, as garagens, em prédios, são feitas pequenas e estreitas, e quando entramos com o carro pela primeira vez em uma garagem assim, logo imaginamos que não conseguiremos estacionar. Na primeira vez, fazemos diversas manobras até conseguir estacionar o carro na garagem, no entanto, conforme praticamos aquela ação, conforme treinamos as inúmeras manobras, já não se fazem mais necessárias, as dificuldades vão diminuindo e nossa mente é treinada a não ver mais dificuldades naquilo. Assim é a vida espiritual, consoante praticamos nossa fé, mais ela se faz presente em nossa vida, as dificuldades vão diminuindo, a vida se torna mais leve, as coisas ao nosso redor vão passando a fazer sentido e começamos a identificar com mais facilidades as terras férteis.

Lembro-me de uma ocasião em que eu queria ofertar a quantia de R$ 50.000,00. Chegou um determinado dia, eu já tinha guardado R$ 5.000,00, fui em uma Igreja e, na hora da pregação, o pastor começou a ensinar sobre a fé, realizou-se uma oferta naquele momento, e eu disse a Deus: "Senhor, eu queria conseguir ofertar os R$ 50.000,00". Em seguida o Senhor falou ao meu coração: "Você precisa aprender a dar R$5.000,00, se você não der o que você tem hoje, você não dará quando tiver muito". Naquela noite aprendi sobre exercitar o músculo da fé e ser obediente a Deus.

Será que já ouvimos falar sobre a negatividade na semeadura? São aqueles momentos em que somos extremamente negativos naquilo que estamos plantando, é quando o nosso coração está treinado apenas para pensar o pior, pensar que não vai dar certo; precisamos treinar nosso coração para receber a colheita. Não sejamos negativos, e saiamos de perto de pessoas que só tem uma visão negativa, não sejamos o tipo de pessoa incrédula a respeito das Promessas de Deus.

Inúmeras pessoas recebem semeaduras e destroem elas durante o percurso. Por conseguinte, não devemos agir com avareza, pois um agricultor não pega as piores sementes para jogar na terra fértil, ele escolhe as melhores sementes, aquelas que tem os melhores DNA'S para o plantio, assim é com o dinheiro.

Existem pessoas que possuem dois reais no bolso, e terão apenas aquele valor pelo resto da vida, são o tipo de pessoa que só plantam dois reais, só plantam suas menores sementes, as sementes mais fracas, lembremos: colhemos segundo a espécie que plantamos. Procuremos nossas melhores sementes na hora da semeadura, escolhamos uma terra fértil e plantemos na terra certa.

3. Qual é a terra certa para semear?

O que está sendo instruído na palavra partilhe todas as coisas boas com quem o instrui.

Não se deixem enganar: de Deus não se zomba. Pois o que o homem semear, isso também colherá.

Gálatas 6:6,7

Paulo diz que aquele que ensina a palavra também deve receber bens materiais. Certo dia, passei por uma situação – estava pregando em uma Igreja, ao final, uma mulher católica chegou até mim com um cheque e nele estava grampeado esse versículo de Gálatas 6:6. Ela disse que queria me recompensar devido a todos os ensinamentos que ela já tinha recebido através da minha vida, naquele momento, ela estava repartindo suas bênçãos e aquilo que Deus confiou a ela. Precisamos aprender a semear na vida daqueles que ministram ao nosso coração, semear na vida daqueles que nos ajudam a crescer, que nos auxiliam na caminhada cristã, devemos investir onde o Reino de Deus está avançando. Estejamos sensíveis para identificar os lugares onde há projetos sociais, onde há pessoas fazendo missões, ajudando escolas, comunidades carentes, onde têm pessoas investindo em projetos sociais, invistamos onde o Reino está se movimento, é lá onde nossa colheita será abundante. Nenhum projeto é maior do que o Evangelho propõe, portanto, se não estamos investindo onde o Evangelho está sendo manifesto, estamos investindo em um projeto menor que o Reino de Deus. Aprendamos que nada é mais recompensador do que o Evangelho propõe, nada e nem ninguém pode oferecer vida eterna e bênção eterna, nenhum projeto pessoal pode ser maior do que os projetos de Deus.

Pedro lhe disse: "Nós deixamos tudo o que tínhamos para seguir-te! "
Respondeu Jesus: "Digo-lhes a verdade: Ninguém que tenha deixado casa, mulher, irmãos, pai ou filhos por causa do Reino de Deus deixará de receber, na presente era, muitas vezes mais, e, na era futura, a vida eterna".

Lucas 18:28-30

Esse versículo não está falando sobre abandonar, mas sobre colocar em segundo lugar, já que o Reino de Deus precisa estar em primeiro lugar na nossa vida e no nosso coração. Essa teoria de abandonar tudo por causa de Deus não está correta, e sim ter o entendimento de colocar Deus em primeiro lugar. Tudo o que temos nesse mundo receberá uma multiplicação muito maior e o Evangelho nos dará a vida eterna no mundo vindouro. Não há nenhum projeto maior que o Evangelho, todos os projetos têm um limite, especialmente tratando-se de vida eterna. Em Lucas 18, Jesus diz que aquele que investe no evangelho, que se envolve com suas sementes no evangelho, terá multiplicação na terra e, mais ainda, na vida eterna.

As suas sementes nos darão respostas a respeito da nossa colheita, se semeamos pouco, recebemos pouco, se semeamos muito, recebemos muito, e quando estivermos desenvolvendo nossos projetos, não nos esqueçamos que eles jamais serão maiores que o Evangelho. Trabalhemos nosso coração para que toda semente que plantarmos, não morra no caminho, mas que recebamos sua recompensa.

O QUANTO QUEREMOS COLHER DETERMINA O QUANTO DEVEMOS SEMEAR.

39

QUEM TOMA EMPRESTADO É ESCRAVO

Deus nos ensina pela sua Palavra a ficarmos longe de dívidas. Ele sempre nos orientará a fazermos a coisa certa.

Antigamente, faziam-se guerras para conquistar escravos, isto é, quem vencia a guerra, escravizava o outro povo. Naquela época, as guerras tinham a função de conquistar escravos e, nos dias atuais, vendem-se dívidas para escravizar pessoas, muitas pessoas viram escravas sem perceber que estão presas e sendo escravizadas.

Deus ensina pela Sua Palavra para ficarmos longe de dívidas, Deus nos orienta a fazermos o certo, e Deus sempre vai nos orientar a fazer a coisa certa. A única dívida que Deus autoriza e Ele mesmo diz para ficarmos devendo, é o amor.

Na sua palavra diz: *"Não deveis nada, há não ser o amor"*.

Não devemos fazer nenhum outro tipo de dívida, mormente quando não há razão para fazê-la, por isso, tomar a decisão de não viver mais devendo às pessoas e às dívidas é vital.

Deus não gosta de dívidas. A Bíblia explana que nós tínhamos um escrito de dívida porque Adão pecou, e trouxemos o DNA humano e, também, trouxemos o DNA de uma alma vivente, todavia, nos separamos na queda, e havia uma dívida, essa dívida foi passada de pai para filho, quando Adão separou-se de Deus, separou a sua geração. Nesse viés, o fato de nascermos já faz-nos carregar a dívida em relação à comunhão com Deus. O Senhor não queria que o ser humano ficasse devendo, consequentemente, a Bíblia assegura que aquele escrito de dívida, aquela promissória que o inferno pode cobrar de Deus, Cristo Jesus pagou, riscou essa dívida. Uma das Palavras que Jesus grita na cruz, diz que está consumado, quer dizer, que está pago, não há mais dívida, todo aquele que vem a mim não tem mais dívidas, o escrito da dívida foi pago, Deus se sente bem em ter pagado nossa dívida. Toda dívida também se caracteriza no mundo espiritual, dívidas viram vícios na vida das pessoas. Muitas pessoas sabem que não podem ficar devendo, entretanto, são viciadas em fazer mais contas e ficar devendo às pessoas, bancos e instituições financeiras, fazem financiamentos para pagar suas dívidas. Uma pessoa viciada em fazer dívidas está escravizada, alimenta uma área do cérebro na qual ela vai se sentir bem se endividando.

Vemos pessoas que trabalharam a vida inteira, que trabalharam mais de 30 anos, e quando chega no momento da aposentadoria, não sabem desfrutar, porque ainda estão pagando dívidas. Quando me refiro a dívidas, estou falando das prestações desnecessárias, são aquelas contas criadas por desorganização financeiras, são aquelas coisas compradas sem necessidade, não estou me referindo a investimentos que vão dar retorno ao longo do tempo. Precisamos chegar a um patamar que não vamos mais precisar ter esse tipo de dívida. A Bíblia ensina muitas coisas sobre bênçãos e maldições, é muito comum que as pessoas façam perguntas relacionadas a isso. Tomar emprestado é maldição, emprestar é uma benção.

O Senhor abrirá o céu, o depósito do seu tesouro, para enviar chuva à sua terra no devido tempo e para abençoar todo o trabalho das suas mãos. Vocês emprestarão a muitas nações, e de nenhuma tomarão emprestado.

Deuteronômio 28:12

Toda vez que alguém toma emprestado entra em algum tipo de maldição. Quando entra em Cristo Jesus é livre, contudo, as suas práticas podem levar a falta de bênção de Deus. Toda maldição tem uma causa, a maldição de Adão foi quebrada em Cristo Jesus.

Como o pardal que voa em fuga, e a andorinha que esvoaça veloz, assim a maldição sem motivo justo não pega.

Provérbios 26:2

Quando os pássaros estão voando, o objetivo deles é pousar e encontrar descanso, a maldição está voando e o projeto dela é do mundo, não é nascida no coração de Deus. As dívidas são como os pássaros, elas estão voando e procurando um lugar para pousar, precisam encontrar um lugar para enraizar.

Inúmeras famílias têm quebrado, casamentos desfeitos e se sentem desmotivadas desse mundo porque aceitam o pouso.

SE NÃO SOUBERMOS O QUE FAZER COM O NOSSO DINHEIRO, O MUNDO SABE.

A Bíblia diz que os filhos de Deus são menos astutos do que os filhos das trevas, e têm muitos cristãos que acham que emprestar é pecado, quem deveria emprestar é o cristão e não tomar emprestado. Como o pássaro voa e espera encontrar um lugar para colocar os seus pés e descansar, assim também é a maldição, está voando à espera de um lugar para pousar, as dívidas estão rondando nossa vida diariamente, e a minha oração é para que elas não encontrem um lugar no seu coração.

Não importa quanto ganhamos, se não somos escravizados pelas dívidas, somos livres. Tem pessoas que vivem um modelo escravizado em dívidas, os credores usam aquela quantidade de dívidas para ter um modelo de vida de escravo. Se não obedecermos a Palavra de Deus, não obedeceremos a mais nada, se a Palavra de Deus não for nosso maior limite, vamos ser sempre escravos. Sejamos focados em obedecer a Deus.

Sofri muito nas dívidas que criei por um tempo, até que chegou o momento em que me apeguei a Deus e me arrependi, decidi que não queria mais ficar nesse lugar, e meu coração foi confortado, Deus proveu na minha vida de forma que sai daqueles problemas, determinei-me a não entrar mais em dívidas, ser livre, pois foi para a liberdade que Cristo me libertou. Devemos decidir, em nosso coração, não nos endividar mais, decidir sermos um canal de bênção na vida de outras pessoas e podermos emprestar aquilo que temos. Chegará um momento vamos ajudar, que vamos emprestar em vez de tomar emprestado.

40

PAIS QUE PREZAM PELO TESOURO DEIXAM HERANÇAS PARA OS FILHOS

O bom homem deixa herança para os seus filhos.

Agora, estou pronto para visitá-los pela terceira vez e não lhes serei um peso, porque o que desejo não são os seus bens, mas vocês mesmos. Além disso, os filhos não devem juntar riquezas para os pais, mas os pais para os filhos.

2 Coríntios 12:14

Esse é um conselho para quem é pai e mãe. É uma promessa de Deus deixar riqueza para os filhos, e é possível trazer essa promessa à existência.

Muitas vezes, nós não chamamos à existência as promessas que estão disponíveis para nós, e isso pode trazer muitos sofrimentos e consequências para nós e nossos filhos. Muitos pais, ao final da vida, se tornam um peso para os seus filhos, posto que não chamaram à existência as promessas de Deus quanto à herança.

Quando a Bíblia diz que o homem irá casar-se, deixará pai e mãe e irá construir uma nova família, significa que eles formarão uma nova família, e que, a partir de agora, trilharão o caminho deles, vão gastar o vigor de vida em torno disso. Quando não funciona a cadeia como Deus determinou, dos pais deixando herança aos seus filhos, podem surgir conjunturas ruins para ambos os lados. Nessa ordem de Deus, fica evidente que o filho deve honrar e ajudar os pais, no entanto, biblicamente, como pais, não devemos trazer qualquer peso financeiro sobre eles. A ordem que Deus estabeleceu, nesse sentido, funciona perfeitamente quando andamos em obediência à Palavra de Deus. Se vivêssemos nossa vida pautada na Palavra de Deus, evitaríamos que nossos filhos e nossa família vivessem muitas dores e tribulações por coisas fora do processo natural.

Se estou chegando a um pai ou uma mãe, Deus quer lhe abençoar para que construa riquezas para seus filhos.

Paulo explica que os filhos precisam ter pais, ambiente e fôlego para construírem sua família quando se casam. Podemos ser bons conselheiros, porém, não deveríamos trazer um peso financeiro sobre nossos filhos. Eles terão os próprios filhos e deverão juntar também riquezas para os seus filhos. Muitos pais não se interessam em ensinar princípios bíblicos e financeiros para os seus filhos, criando alguns transtornos familiares que não precisariam existir.

Abraão, Isaque, Jacó e José não viveram em um mundo muito melhor que o nosso, mas eles construíram riquezas e as deixaram para os seus filhos. Construíram riquezas e deixaram um legado. Davi não esteve em um mundo melhor que o nosso, apesar disso, aprendeu a vencer e deixou um reino abençoado para Salomão, que, por sua vez, prosperou ainda mais.

Deus quer que deixemos uma herança para os nossos filhos e não há nada de errado em pensar e comunicar dessa forma.

Muitos filhos de pastores não gostam da Igreja, alguns, não apoiam a vida pastoral dos seus pais, por causa da cultura que foi implantada dentro das Igrejas, de que pastor tem que ser pobre. Grande parte da igreja se sacia dessa mentalidade que o pastor não pode ter nada, que o pastor não deve ter dinheiro, não deve ter bens. É uma incoerência tamanha. Na visão dessas pessoas, qualquer outro homem e mulher pode ter, usufruir, desfrutar de riquezas, até ímpios, todavia, pastores não. Na mente de muitos, pastores precisam manter uma postura miserável e pobre. Isso não poderia estar mais longe da verdade.

A honra é herança dos sábios, mas o Senhor expõe os tolos ao ridículo.

Provérbios 3:35

Deus deseja que honremos os princípios bíblicos, que vivamos consoante a Palavra, e geremos riquezas para nós e para nossa família. Se somos pastor, obreiro, líder no Reino de Deus, somos dignos de dupla honra. Nossos filhos não precisam carregar um fardo de não termos bens e, muito menos, para compartilhar com eles. Pastores devem ser abençoados, prósperos e não há pecado nenhum nisso. Todas as ofertas que eu dou, tudo aquilo que eu planto, talvez eu não vá colher fisicamente, muitas dessas sementes serão colhidas posteriormente, pelos meus filhos e os filhos dos meus filhos.

Abraão viu promessas, creu nelas, mas ele não chegou a vivê-las, ele entendeu por esperança se alegrando e saudando isso. Normalmente, somos avarentos, queremos tudo para nós e para o hoje, contudo, precisamos entender que muitas sementes ficarão para os nossos filhos. Muitas sementes financeiras são para nossos filhos e netos, eles serão abençoados. Como é gratificante saber que as sementes que eu planto hoje, financeiramente, com muito trabalho e zelo, meus filhos irão desfrutar.

Atire o seu pão sobre as águas, e depois de muitos dias você tornará a encontrá-lo.

Reparta o que você tem com sete, até mesmo com oito, pois você não sabe que desgraça poderá cair sobre a terra.

Quando as nuvens estão cheias de água, derramam chuva sobre a terra. Quer uma árvore caia para o sul quer para o norte, no lugar em que cair ficará.

Quem observa o vento não plantará; e quem olhar para as nuvens não colherá.

Assim como você não conhece o caminho do vento, nem como o corpo é formado no ventre de uma mulher, também não pode compreender as obras de Deus, o Criador de todas as coisas.

Plante de manhã a sua semente, e mesmo ao entardecer não deixe as suas mãos ficarem à toa, pois você não sabe o que acontecerá, se esta ou aquela produzirá, ou se as duas serão igualmente boas.

Eclesiastes 11:1-6

Não sabemos o que acontecerá futuramente com as sementes que plantamos, e o que acontecerá com o depósito de semeaduras que estamos deixando. Tudo que plantarmos, colheremos, tudo na vida são sementes. Há sementes que levam séculos para brotar, e quando formos semear, façamos isso entendendo que têm sementes que nossos filhos, nossos netos e as próximas gerações irão colher. Não vou gastar tudo que ganho e tenho porque meus filhos irão usufruir das minhas riquezas. O bom homem deixa herança para os seus filhos, é bíblico.

Se queremos ser bons pais, nós não devemos botar um peso para nossos filhos sobre finanças, mas deixá-los livre para viverem. Há acidentes de percurso, às vezes o pai sofre um acidente ou acontece alguma tragédia, e é claro que os filhos devem ajudar os pais, auxiliá-los em suas dificuldades, entretanto, isso nunca pode ser um peso sobre os filhos.

Vários filhos já me procuraram dizendo que não suportam mais a pressão financeira que os pais colocam sobre eles. Quanto pais falham nessa jornada por não entenderem os conselhos bíblicos. Não é errado você ter uma aposentadoria, ou plantar para colher em na velhice, o que é errado é viver de forma despretensiosa a respeito disso e, ao fim da vida, ser peso para aqueles a quem deveria deixar algo.

Se, por acaso, alguém faliu, independente da sua idade, pode, hoje, entender a importância de chamar à existência essa promessa sobre sua casa. A promessa de que como pai, como mãe, deixará riquezas e tesouros para os vossos filhos. Se formos abençoados, nossos filhos serão ainda mais abençoados, pois é promessa de Deus. O homem bom deixa tesouros para os seus filhos, a Bíblia diz isso. Deus vai nos abençoar, vai abençoar nossas famílias, nossas riquezas, deixaremos uma herança para nossos filhos, é promessa de Deus e irá se cumprir em nossa vida em nome de Jesus.

Made in United States
Orlando, FL
02 October 2024